G000163093

COLLECTION DECOUVERTE CADET

Pour Anne

Dans la même collection

Le plaisir des mots
Le livre de tous les pays
Le livre de la Bible

1 Le livre des fleurs
2 Le livre de la tour Eiffel
3 Le livre de la peinture et des peintres
4 Le livre des découvertes et des inventions
5 Le livre de l'hiver
6 Le livre de l'automne
8 Le livre de l'été
9 Le livre des marins
10 Le livre de mon chat
11 Le livre de la montagne
12 Le livre du ciel
13 Le livre de tous mes amis
14 Le livre de tous les jours
15 Le livre du cheval
16 Le livre des chansons de France
18 Le livre des premiers hommes
19 Le livre des costumes
(La mode à travers les siècles)
20 Le livre des maisons du monde
21 Le livre des arbres
22 Le livre des oiseaux
23 Le livre des bords de mer
24 Le livre de la langue française
25 Le livre de l'histoire de France
26 Le livre de tous les Français
27 Le livre des trains
28 Le livre de la découverte du monde
29 Le deuxième livre des chansons
(de France et d'ailleurs)
34 De bouche à oreille
(Le livre des images de la langue française)

ISBN 2-07-039507-3

1er dépôt légal: Septembre 1983
Dépôt légal: Février 1988
Numéro d'édition: 42915
Code sodis: A39507
Imprimé par la Editoriale Libraria en Italie

LE LIVRE DU PRINTEMPS

Laurence Ottenheimer
Illustrations de
Georges Lemoine

GALLIMARD

Bonjour printemps
Bonjour gentil printemps
Bonjour les arbres verdoyants
Les gaies couleurs
Dans les prairies en fleurs
Petits muguets
Boutons d'or et bleuets
Tous les parents
Vont aller dans les champs
Cueillir des grains pour leurs enfants
C'est dommage vraiment
Qu'il n'y ait qu'un printemps par an
Reste longtemps joli printemps.

Bonjour printemps
Bonjour gentil printemps
Adieu le vent mauvais temps
On voit des nids
Dans les arbres fleuris
L'hiver est parti
Le froid est fini
Les derniers-nés
Apprennent à voler
Dès que leurs ailes sont poussées
C'est dommage vraiment
Qu'il n'y ait qu'un printemps par an
Reste longtemps joli printemps.

Victor Viry

Ce livre appartient à
....

Le printemps naît aujourd'hui
Parmi les floraisons blanches
Un pinson chante les branches.

Tui tui, tio tio tui !

Sous ses pieds les roses franches
Font de fines avalanches ;
L'oiseau va, vient et s'enfuit...

Tui tui, tio tio tui !

Robert Campion

Mars

21 Début du printemps	*Mars qui rit,* *malgré les averses,* *Prépare en secret* *le printemps* Théophile Gautier
22	
23	
24	
25 Fête de l'Annonciation	
A l'Annonciation, *Les hirondelles viennent* *annoncer la belle saison.* *A la Nativité,* *Elles nous quittent avec l'été.*	
26	
27	
28	
29	
30	
31 *A la Saint-Benjamin* *Le mauvais temps prend fin.*	

En Avril, le vent joue avec les aubépines
On l'entend fredonner, sous les lilas en fleurs,
Un air si doux qu'il vous ravit le cœur ;
Il caresse en passant les muguets, il butine
Dans les jardins remplis de giroflées ;
Les peupliers vibrent selon ses danses
Et les ruisseaux murmurent en cadence
Pour célébrer son haleine embaumée...

Adolphe Retté

Avril

Au début du mois, le soleil se lève vers 6 h 20 et se couche vers 19 h 15. Pendant le mois, les jours s'allongent de 2 minutes environ chaque matin et de 1 minute chaque soir.

1er avril

En 1564, le roi Charles IX décida que le début de l'année serait le 1er janvier et non plus le 1er avril comme autrefois. Mais on garda l'habitude de faire de drôles de petits cadeaux ou d'envoyer de faux-messages, en souvenir des étrennes qu'on distribuait le 1er avril. Et comme au mois d'avril le soleil quitte le signe des poissons, dans le zodiaque, on donna à ces farces le nom de « poissons d'avril ».

Il était un petit poisson
Qui naquit le premier avril

Jamais personne, paraît-il,
Ne le regarda sans sourire.

Il avait beau dire et redire
Qu'il était vraiment un poisson,

Jamais personne, paraît-il,
Ne crut un mot de ses discours.

Et le petit poisson, un jour,
Regarda le ciel bleu d'avril

Et se mît à rêver tout haut
Qu'il était un petit oiseau.

Jean-Louis Vanham

Avril pour dire à la fleur « ouvre-toi ».

Alain Bosquet

Au jour de la
Sainte Prudence,
S'il fait du vent,
le mouton danse.

2

3 *Si le coucou n'est pas là le 3*
Sa femme est malade
(l'année aussi).

4

5

6 Sainte Prudence

7

8

9

10

11

12

13

14

J'aime avril
Qui bat des cils
Au bout des branches.

Geeraert

15	
16	
17	
18	
19	
20	*A la Saint-Théodore, fleurit chaque bouton d'or.*
21	
22	Sainte Opportune
23	
24	
25	*Quand Saint Marc n'est pas beau Pas de fruits à noyaux.*
26	
27	*A la Saint-Frédéric, tout est vert, tout est nids.*

Pluie le jour de
Sainte Opportune
Ni cerises,
ni prunes.

J'ai crié : « Avril ! »
Et les hirondelles
Ont bleui le ciel.

Maurice Carême

Taille le
vendredi saint
T'auras beaucoup
de raisins.

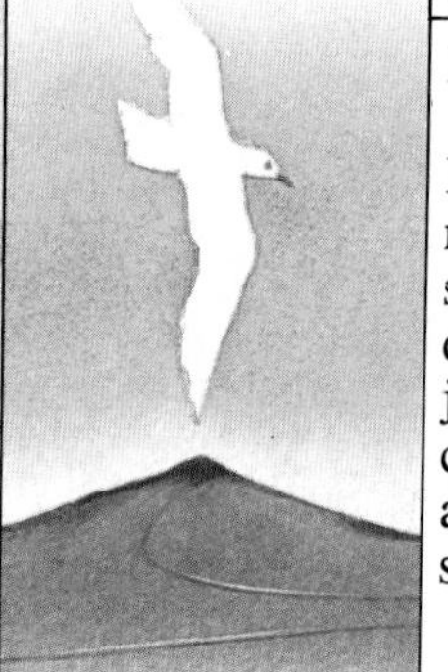

La gelée
du jeudi saint
Gèle le sarrasin.

28

29 *A la Saint-Robert,*
tout arbre est vert.

30

Le dimanche des rameaux

C'est le dimanche juste avant Pâques. Cette fête chrétienne commémore le jour où Jésus est entré à Jérusalem. Tout le monde l'accueillit avec des rameaux de palmiers. On fête le jour des rameaux avec de petites branches de buis ou de laurier bénis qu'on accroche dans la maison jusqu'à l'année suivante.

Sainte Semaine

Le printemps fait son ménage.
Il avive, il passe au bleu,
Il bouscule ses nuages,
Il rince à grande eau ses rives,
Il met en état de grâce
L'herbe, l'arbre, les étables
Et pour le matin de Pâques
Pose son meilleur soleil
En ostensoir sur la mer.

Lucien Jacques

Pâques

Pâques est l'anniversaire de la résurrection du Christ. Dans toutes les églises, les cloches se taisent en signe de deuil le vendredi saint, jour de sa mort. Elles sonnent à nouveau le jour de Pâques. Pour expliquer le silence des cloches, on racontait aux petits enfants qu'elles partaient à Rome et reviendraient à Pâques en laissant tomber du ciel des œufs en sucre ou en chocolat dans tous les jardins.

Pâques tôt,
Pâques tard,
Un bon merle
a des petits
à Pâques.

La fête du renouveau

Dans les campagnes, Pâques était autrefois une explosion de joie, après la longue période du Carême. Les maisons étaient entièrement nettoyées. On portait ce jour là des vêtements neufs, on se coiffait d'un chapeau d'été.

Le vent
du jour du buis
Dure
aussi longtemps
que lui.

Pâques ne se fête pas à date fixe mais le premier dimanche après la pleine lune de l'équinoxe de printemps : entre le 22 mars et le 25 avril.

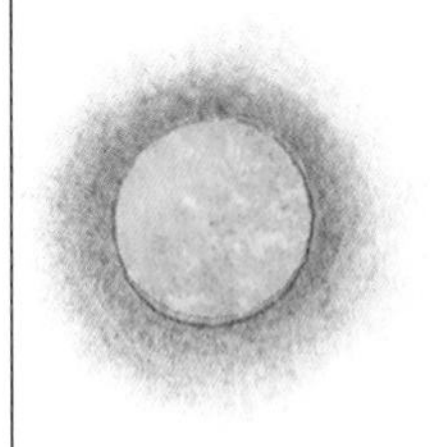

La lune rousse

C'est le nom de la lunaison qui commence après Pâques. Elle est souvent accompagnée de gelées et de vents froids qui gèlent, « roussissent » les jeunes plantes.

Les œufs

Œuf à la coque,
Cher petit coco blanc qu'on aime,
Dur sous la cuiller qui te choque,
Sois en dedans mou comme crème,
Œuf à la coque !

Œuf sous la poule !
Berceau blanc d'un tout petit être,
Tiens-le bien au chaud dans ton moule
Le poussin jaune qui va naître,
Œuf sous la poule !

Grand œuf de Pâques,
Chocolat ou sucre qui brille,
Entr'ouvre tes parois opaques
Pour les garçons et pour les filles
Grand œuf de Pâques !

Lucie Delarue-Mardrus

Le matin de Pâques, on a coutume de cacher des œufs dans le jardin ou la maison. Des œufs en chocolat, mais pourquoi pas de vrais œufs que vous aurez décorés vous-mêmes.

Pour les teindre aux couleurs du printemps, il existe des colorants naturels : la feuille d'épinard pour le vert, le chou rouge avec du vinaigre pour le rose, le chou rouge sans vinaigre pour le bleu, la pelure d'oignon pour l'orange.

Mettez l'ingrédient de votre choix dans une casserole d'eau froide. Faites bouillir l'eau et plongez-y les œufs, pendant dix minutes. Passez-les ensuite sous l'eau froide, la couleur deviendra plus foncée.

Oui, à chaque œuf,
Le monde est neuf.

Maurice Carême

Joli mois de Mai, quand reviendras-tu
Semer de bourgeons les branches des arbres,
Chauffer les lézards à l'abri des marbres,
Joli mois de Mai de printemps vêtu ?

Joli mois de Mai, quand reviendras-tu
Donner à foison l'herbe à nos prairies
Et du gai soleil à nos métairies,
Joli mois de Mai d'effluves vêtu ?

Joli mois de Mai, quand reviendras-tu
Faire gambader, pareils à des biches,
Parmi les poussins, les veaux, les pouliches,
Joli mois de Mai de gaîté vêtu ?

Charles Boulen

Mai

Au début du mois, le soleil se lève vers 5 h 20 et se couche vers 20 h 05. Durant le mois, les jours s'allongent d'environ 1 minute chaque matin et de 1 minute chaque soir.

1er mai

En 1884, dans la ville américaine de Chicago, des associations de travailleurs décidèrent qu'à partir du 1er mai 1886, la journée de travail ne dépasserait pas 8 heures. Les années suivantes, le 1er mai fut l'occasion de grandes journées de grève aux Etats-Unis. En France, le gouvernement décida le 30 avril 1947 que le 1er mai serait la fête du travail et qu'il serait chômé. Ce jour-là, on offre un brin de muguet à tous ceux qu'on aime.

Cloches naïves
du muguet,
Carillonnez !
Car voici mai !

Maurice Carême

Un bouquet de muguet,
Deux bouquets de muguet,
Au guet ! Au guet !
Mes amis, il m'en souviendrait,
Chaque printemps au premier Mai.

Trois bouquets de muguet,
Gai ! Gai !
Au premier Mai,
Franc bouquet de muguet.

Robert Desnos

Mai qui met
Au cœur des rues
Le gai muguet.

Geeraert

	2
	3
	4
	5
	6
	7
	8
	9
	10
	11 Mamert
A la mi-mai, *Queue de l'hiver.*	12 Pancrace
	13 Servais
	Saints Mamert, Servais et Pancrace *Sont toujours de vrais saints de glace.*

En mai fais ce qu'il te plaît.

14		
15	*A la Sainte-Denise Le froid n'en fait plus à sa guise.*	
16		
17		
18	Saint Félix	*A la Saint-Félix Tous les lilas sont fleuris.*
19		
20		
21		
22		
23		
24	*Après la Sainte-Angèle Le jardinier ne craint plus le gel.*	
25	Saint Urbain	*A la Saint-Urbain Le blé doit avoir son grain.*
26		

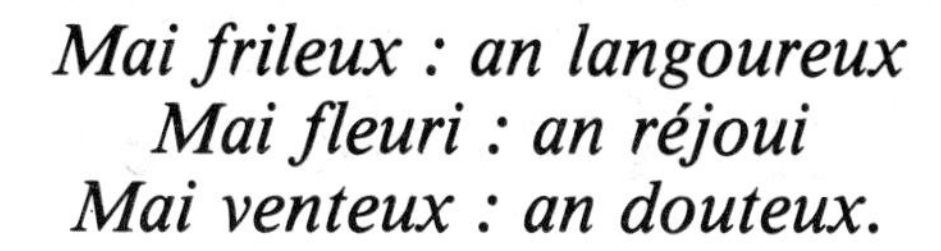

Mai frileux : an langoureux
Mai fleuri : an réjoui
Mai venteux : an douteux.

	27
	28
S'il pleut le jour de Sainte Pétronille Elle met 40 jours à sécher ses guenilles.	29
	30
	31 Sainte Pétronille

A l'Ascension
Le dernier frisson.

Voici la Pentecôte
Belle Iauly
La fraise est à mi-côte
du bois joli
Déjà roses nouvelles
ont refleuri...
C'est le temps où les belles
changent d'amis.
Changerez-vous le vôtre
Belle Iauly
Non je n'en veux pas d'autre
que mon ami
L'été fane les roses
La fraise aussi
Il change toutes choses
Mon cœur nenni

Chanson

Les fêtes de mai

L'Ascension

Ce jour-là, les chrétiens fêtent l'anniversaire de la montée de Jésus-Christ dans le ciel. L'Eglise célèbre ce miracle 40 jours après Pâques.

La Pentecôte

L'Eglise chrétienne célèbre 50 jours après Pâques la descente de l'Esprit-Saint sur les apôtres de Jésus-Christ.

La fête des mères

Depuis le début du siècle, cette coutume existe dans les pays scandinaves et dans ceux de langue anglaise. Aux Etats-Unis, le *mother's day* (fête des mères) est fêté chaque année le premier ou le deuxième dimanche de mai. Les maisons sont décorées et les hommes portent un œillet blanc en signe de leur amour. Cette fête des mamans nous est venue en France, avec les soldats américains et anglais, pendant la première guerre mondiale. Depuis 1941, la fête des mères est fêtée le dernier dimanche de mai.

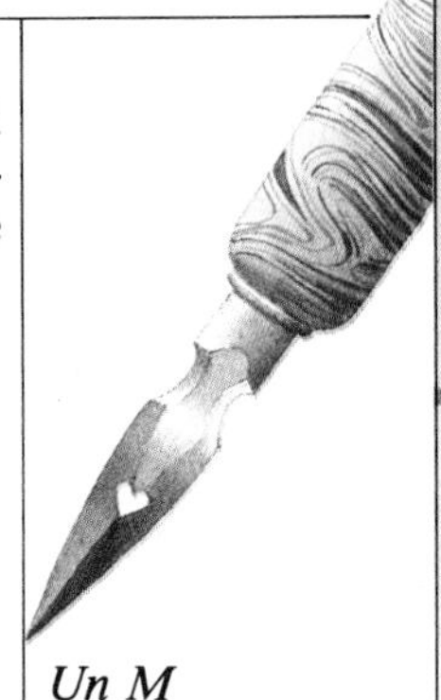

Un M
Je t'aime,
Deux M
Tu m'aimes.
Un A
C'est moi
Deux A
C'est toi.
Un N
Ma reine,
Ma fée
De mai,
C'est le nœud
Merveilleux
Unissant
Tendrement
De mon cœur
A ton cœur
Les lettres
Composant
Le mot bleu :
MAMAN.

Glyraine

A la mi-juin les rosiers
Et le chèvrefeuille
Revêtent les escaliers
Du logis qui nous accueille.
Quand la nuit remplit le ciel
Un tilleul exhale
Son pâle parfum de miel
Dans le clair de lune pâle.

Louis Pize

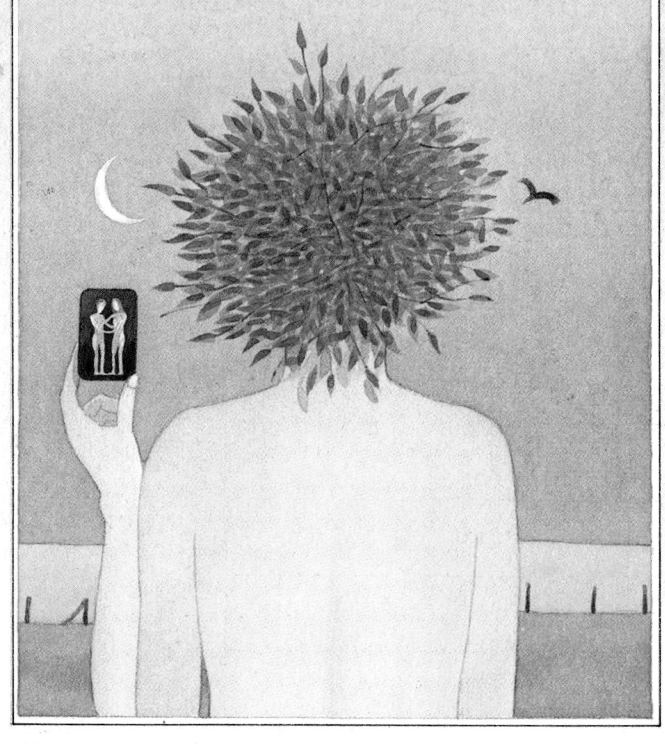

Juin

Au début du mois, le soleil se lève vers 4 h 35 et se couche vers 20 h 45. Les jours s'allongent de 1 à 3 minutes chaque matin et, jusqu'au 30 juin, de 1 à 2 minutes chaque soir.

A partir du 21 juin, les jours diminuent de 1 à 2 minutes chaque matin.

J'aime juin
Rouge de jus,
Qui sent le foin.

Geeraert

1	Saint Révérien
2	
3	
4	
5	
6	Saint Norbert
7	
8	Saint Médard
9	
10	

Pluie au jour de
Saint Révérien
Belles avoines
mais maigre foin.

Les bains que prend
Saint Norbert
Inondent
toute la terre.

S'il pleut à la
Saint-Médard,
L'été sera bâtard.

Juin pour dire à la mer
« emporte-nous très loin ».

Alain Bosquet

11

12

13

14

15

16

17

18

Quand il pleut à la Saint Gervais
Il pleut quarante jours après.

19 Saint Gervais

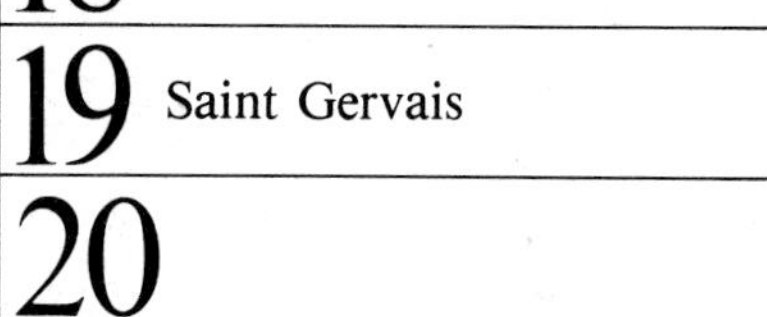

20

21 **Fête des pères**

Solstice d'été

C'est le début de l'été, et l'époque où le soleil est le plus loin de l'équateur ; les jours sont les plus longs de l'année et les nuits les plus courtes.

Ce matin
Au détour du chemin
Je rencontrai le Printemps.
Vêtu comme un marquis, il avait mis
Des fleurs à son chapeau
Des fleurs à son manteau
Et même sur son dos.

Les unes blanches semées de rouge
D'autres mauves
Et d'autres rouges et d'autres bleues.
Quelle joie c'était pour mes yeux !
Et je lui dis : « Tu es merveilleux »
Et il me regardait
Et il riait, et il riait !
Et ses yeux étaient comme deux fleurs de lumière
Parmi toutes ces fleurs printanières.

Et il s'en fut sur le chemin
En chantant quelque chansonnette.
En sautant un peu sur un pied
Et puis un peu sur l'autre pied,
Comme font les enfants joyeux
Quand ils s'entraînent à quelque jeu.
Et je le vis disparaître au loin,
Avec des fleurs sur son manteau
Avec ses fleurs sur son chapeau.

Et il a ainsi parcouru le monde
Pimpant, joyeux et tout fleuri
Et le monde entier lui a souri.

Henriette Ammeux-Roubinet

Le ciel de printemps

Voici les étoiles dans le ciel du mois de juin.

1. Le Cocher. 2. Cassiopée. 3. Céphé. 4. Véga.
5. La petite Ourse. 6. Le Dragon. 7. La grande Ourse.
8. Le Lion.

Sur son gilet de broderies
Des grillons cachés palpitent
Et en clochettes sont changées
Les étoiles de la nuit.

Federico Garcia Lorca

1. Le Scorpion. 2. La Balance. 3. La Vierge. 4. Le Corbeau. 5. L'Hydre. 6. La grande Ourse. 7. Le Bouvier. 8. Hercule.

Les giboulées, les arcs-en-ciel

La pluie qui tinte,
la pluie qui
pleure du soleil,
La pluie qui
arrose les clairs
arcs en ciel...

Francis Jammes

Le printemps a bien du mal à chasser l'hiver et le temps est souvent incertain. Des pluies éclatent soudainement. Ce sont les giboulées. Les gouttes d'eau se transforment parfois en grêlons qui abîment les arbres en fleur. Mais elles cessent aussi vite qu'elles arrivent.

C'est la pluie allègre d'avril,
Elle est mince, dansante et lâche
Comme des perles sur un fil.
Elle est joyeuse ! C'est sa tâche
De descendre en jets allongés,
De se glisser, de se loger
Dans les fentes et les entailles
Des bourgeons aux vertes écailles,
Acérés comme un dur métal.

Anna de Noailles

L'arc-en-ciel ! l'arc-en-ciel ! Regarde.
Comme il s'arrondit pur dans l'air !
Arche immense d'un pont du ciel !

Victor Hugo

Après une averse ou un orage, on aperçoit parfois un arc-en-ciel. Mais il s'évanouit vite. Comment est-il né ?

Le soleil éclaire brusquement les milliers de goutelettes suspendues dans l'air. Quand le soleil brille à travers la pluie, les gouttes sont comme des petits miroirs qui reflètent et nous renvoient les sept couleurs des rayons du soleil : rouge, orangé, jaune, vert, bleu, indigo, violet. L'arc-en-ciel se forme toujours dans la direction opposée au soleil.

Arc-en-ciel du matin,
Pluie sans fin

Les nuages

C'était un
tout petit nuage
qui ressemblait à
un chien blanc,
C'était un
tout petit nuage
Courant dans un
grand pâturage.

Maurice Carême

Le ventre gonflé des nuages contient des millions de tonnes d'eau. Le plus petit qui flotte dans l'air, transporte 100 à 1000 tonnes de vapeur d'eau. Cette vapeur d'eau provient de l'humidité de la terre et de l'air réchauffée par le soleil.

Quand le vent pousse les nuages vers une couche d'air froid, les gouttelettes qui les composent grossissent, grossissent, et se rapprochent les unes contre les autres. Elles deviennent si lourdes qu'elles ne peuvent plus flotter dans l'air, alors elles tombent : c'est la pluie.

Cirrus
Nuages blancs, effilés qui annoncent souvent le mauvais temps.

Alto-stratus
Nuages fins qui s'accompagnent de pluie.

Alto-cumulus
Nuages pommelés qui annoncent le mauvais temps.

Strato-cumulus
Gros nuages gris et bas qui donnent rarement de la pluie.

Stratus
Uniformes et bas, comme un voile de brouillard.

Cirro-stratus
Forment une légère brume et comme un halo devant le soleil ou la lune.

Nimbo-stratus
Epais, gris foncé. Ce sont les nuages de la pluie ou de la neige.

Cumulo-nimbus
Ressemblent à une enclume. Très massifs et très impressionnants. Ils apportent l'averse.

Cumulus
Beaux nuages blancs, épais, aux formes changeantes dans le ciel bleu.

Les bourgeons

L'heure ?
Un bourgeon
qui fuse
et s'éparpille
plus vite
que les mots disant
il était vert.

Gisèle Prassinos

Les jours sont plus chauds et s'allongent. Les bourgeons sont gonflés de sève. Ils grossissent tant qu'ils sont près à s'ouvrir. Leurs écailles s'écartent, des petites feuilles recouvertes de duvet et encore toutes fripées, pointent une tête humide. Un rameau s'élance vers la lumière du soleil. Chaque jour, il pousse plus haut. Les feuilles se déplissent le long de sa tige.

Par ce craintif bouton
Qui s'est à peine ouvert
– Est-ce toujours l'hiver ?
Demande le pêcher,
Faut-il se calfeutrer
Dans la coite maison ?

L'amandier lui répond
Par une floraison
Si candide et si fraîche
Qu'aussitôt, dans la nuit,
Le pêcher se dépêche :
Il est rose aujourd'hui.

Le poirier, gris encore,
Se hasarde à son tour
Et d'un bouton explore
Les abords de ce jour.
Que d'espoir, que d'amour
Dans la prochaine aurore !

Pierre Menanteau

De chaque branche, gouttes vertes
des bourgeons clairs.

Rimbaud

Les bourgeons sont très nourrissants pour les oiseaux. Il y a des bourgeons neuf mois sur douze sur un arbre, mais c'est surtout au printemps qu'ils attirent les oiseaux. Au fur et à mesure que l'éclosion approche, ils se chargent d'une substance très riche, et les oiseaux s'en régalent.

Avril fait la fleur,
Mai en a l'honneur.

Fleur de mars,
Guère de fruits ne mangeras.

Bourgeon de mai
Remplit le chai.

marronnier

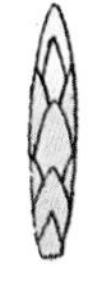
hêtre

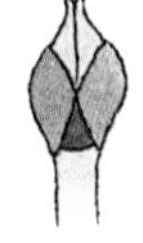
frêne

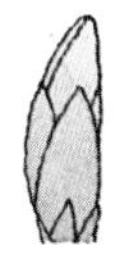
charme

peuplier

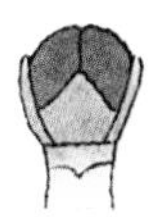
noyer

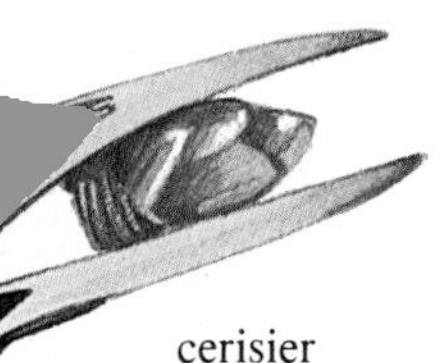
cerisier

frêne

orme

Les fleurs des arbres

Le grand
marronnier
a allumé
ses chandelles.

Ernst Jünger

Dans la plaine
noire
Un petit pêcher
rose
Fait
à lui seul
tout le printemps.

René Maublanc

Chaque espèce d'arbre a des fleurs différentes, mais toutes ont le même rôle : les fleurs produisent des fruits qui donnent des graines d'où naissent de nouveaux arbres.

Il y a des fleurs mâles dans lesquelles se forment le pollen et des fleurs femelles dans lesquelles se forment et grandissent les graines. Mais il n'y a des fruits que si la fleur femelle a été fécondée par le pollen.

Dans plusieurs espèces d'arbres comme le saule ou le peuplier, les fleurs mâles et les fleurs femelles poussent sur des arbres différents.

Il existe des espèces où les fleurs mâles et femelles sont séparées mais poussent sur le même arbre. C'est le cas pour le chêne, le hêtre, le bouleau. Sur d'autres espèces comme le sorbier et tous les arbres fruitiers, la fleur est à la fois mâle et femelle.

L'amandier aux rames vertes
chante des airs aussi clairs
que le saule auprès du fleuve.
Et la blancheur des poiriers
du verger clos et le rose
de chaque fleur de pêcher
chantent comme la senteur
que ce vent humide emporte
des champs de fèves en fleur !

Antonio Machado

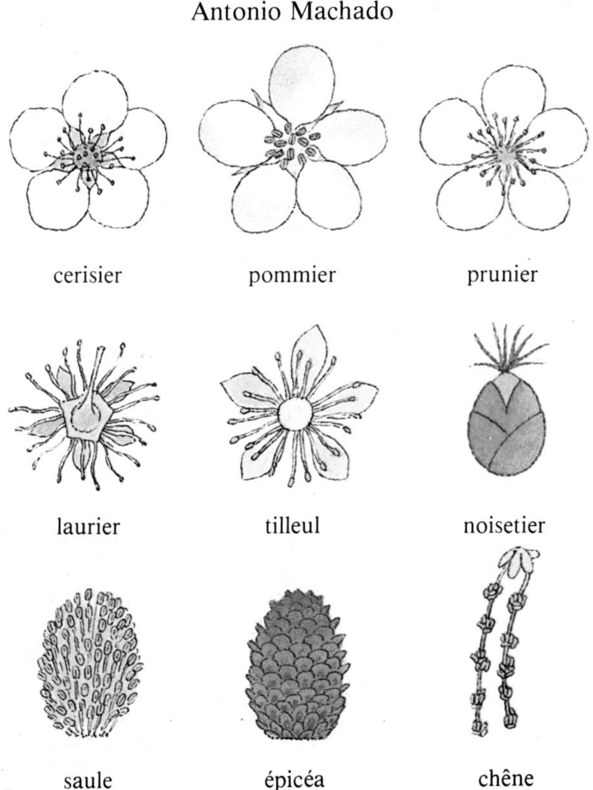

Le merle et le ver de terre

Merle noir,
à bec jaune.
Sa femelle,
la merlette,
a un plumage brun.

Le merle annonce le printemps

La neige a fondu, le sol glacé dégèle, les jours deviennent plus longs.

A l'aube et au crépuscule, on entend à nouveau le chant du merle noir. Les insectes sont encore rares. Le merle s'arrête à chacun de ses pas, penche la tête à droite, à gauche. Il a trouvé un ver qu'il tire avec son bec. Le ver résiste, mais le plus fort l'emporte : le lombric est avalé.

Les vers de terre

Ils craignent la chaleur et la lumière. Aussi, ils ne sortent que la nuit, car ils respirent par leur peau et celle-ci doit toujours rester humide. Ils sont très utiles pour le jardinier. Ils aèrent le sol en creusant leurs galeries, et leurs excréments sont une sorte d'engrais qui enrichit la terre.

Les crocus éclos sur le pré
sont les yeux dorés de la terre
guettent la venue du printemps.

Bientôt, suivront les primevères
les violettes, puis le muguet
signe avant-coureur de l'été.

Le jeune merle qui piétine cette forêt
s'en soucie comme d'une guigne :
il préfère les vers bien frais.

Jean Orizet

Un oiseau siffle dans les branches
Et sautille gai, plein d'espoir,
Sur les herbes, de givre blanches,
En bottes jaunes, en frac noir.

C'est un merle, chanteur crédule,
Ignorant du calendrier,
Qui rêve soleil, et module
L'hymne d'avril en février.

Théophile Gautier

Les oiseaux chanteurs

Ce matin,
les oiseaux
bavards
lève-tôt,
couche-tard,
ont éveillé
les dormeurs
blottis dans leurs
draps tièdes.

Jean Orizet

Dès le retour du printemps, le mâle cherche un endroit pour bâtir un nouveau nid. Alors il chante sans arrêt pour faire comprendre à tous les autres oiseaux que ce territoire est à lui et qu'il n'y acceptera aucun autre mâle de sa race.

Que crie le moineau ?
La joie me tient chaud.
Que crie l'hirondelle ?
Qui aime a mes ailes.
Que crie le pinson ?
Tout nid est rayon.
Que crie le coucou ?
J'ai la brise au cou.
Que crie l'alouette ?
J'ai le ciel en tête.
Que crie le loriot ?
De l'or, peu m'en faut.
Et que crie la pie ?
Qui rit s'enrichit.

Maurice Carême

Le pigeon
«Vrou...hou...hou...»
Il roucoule.

La pie
«Schak-rrrak-schak»
Elle jacasse.

La caille
«Tak-dé-dek»
Elle margotte.

Le rossignol
«Wid-car-diou-diou»
Il chante.

Le corbeau
«Koââ...koââ...»
Il croasse.

L'alouette
«Kii-hip-trri-hip»
Elle tirelire.

La mésange
«Tu-ti...tu-ti...tu-ti...»
Elle titine.

Le geai
«Sch...sch...»
Il cajole.

Le moineau
«Tsik...tsik...»

La pariade des oiseaux

Des oiseaux à notre fenêtre
Ont au printemps bâti leur nid.
Peu à peu, chaque petit être
A patiemment réuni
Le brin de mousse et l'herbe sèche
Et les glanes d'or des moissons ;
Aussi leur libre et simple crèche
S'éjouit-elle de chansons.

A.-P. Garnier

Maman l'oiseau, l'oiseau papa,
volent par-ci, volent par-là.

Ewa Szelburg-Zarembina

Au printemps, les oiseaux se fiancent. Le mâle cherche une compagne et il lui fait la cour.

Certains mâles sifflent leur plus beau chant. Ceux qui sont moins bons chanteurs, comme le pinson, écartent leurs ailes pour que la femelle admire les belles couleurs de leurs plumes.

D'autres dansent un ballet aérien, vont chercher un cadeau : un brin d'herbe pour le nid ou une chenille bien grasse.

La bergeronette se redresse pour montrer son ventre d'or.

Le moineau laisse pendre ses ailes, hérisse les plumes de sa tête et danse devant la moinelle.

Lorsque le mâle a trouvé sa compagne, tous deux construisent un nid qui abritera leurs œufs.

On dirait
que les oiseaux
Chantent tous
dans le même arbre
Et j'entends
le bruit d'épingle,
De leurs pattes
sur les toits.

Georges Chennevière

Les nids

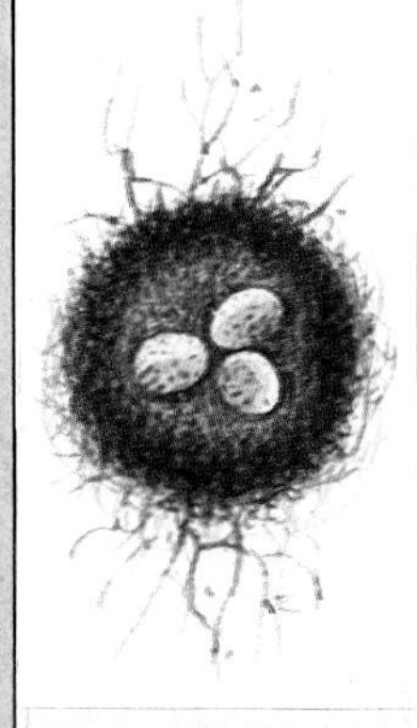

Est-ce le printemps
Qui cherche son nid
Sur la haute branche
Où niche la pie ?

René Guy Cadou

Certains nids ressemblent à de jolies corbeilles, d'autres à de vraies maisons. Chaque espèce d'oiseau choisit une architecture différente et un endroit bien précis.

Le merle, la pie, la mésange construisent leur nid dans les branches des arbres ; la fauvette et le rossignol, dans les haies ; le pinson, dans les vergers ; l'hirondelle et le moineau sous les toits ; l'alouette construit son nid par terre, dans un champ.

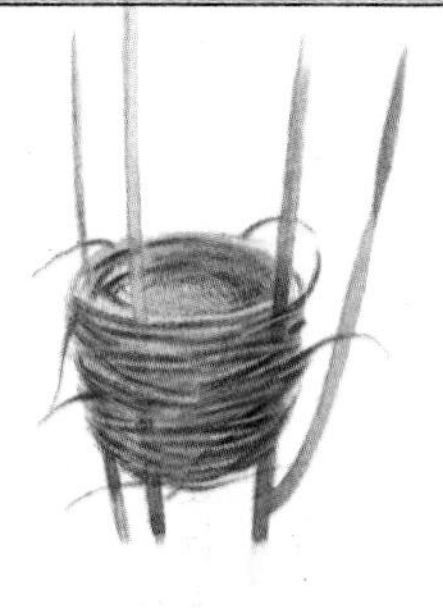

Rousserole
Nid d'herbe tressée

Mésange
Nid de mousse
et d'herbe

Fauvette
Nid de mousse

Alouette
Nid d'herbe

Roitelet huppé
Nid de mousse,
de toiles d'araignées

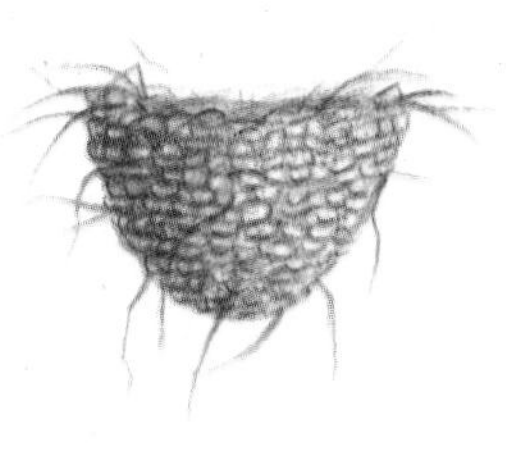

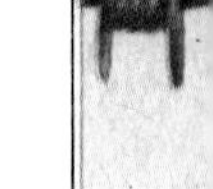

Hirondelle
Nid maçonné
en terre

Les œufs

L'œuf est rond
mais pas tout à fait
Il serait plutôt
ovoïde
avec une carapace
Et vous en venez
tous,
poussins

Il est blanc
pour votre race
crème ou même
orangé
avec parfois collé
un brin de paille
mais ça
c'est un supplément

Raymond Queneau

Les oiseaux couvent pour donner à leurs œufs la chaleur de leur corps. Ils les retournent régulièrement pour que chaque partie de l'œuf soit à la même température. Parfois les parents couvent à tour de rôle, mais chez le merle, la femelle est la seule à rester au nid. Le mâle, pendant ce temps, va lui chercher de la nourriture et écarte tous ceux qui s'approchent un peu trop près de sa compagne. Pour ne pas se faire repérer, la femelle a toujours les plumes moins voyantes que celles des mâles.

Le vanneau qui niche dans les champs pond des œufs tachetés et mouchetés pour qu'on ne les remarque pas, comme tous les autres oiseaux qui ont leur nid au sol.

Les œufs déposés dans les nids des arbres, sont blancs ou de couleur claire et sans tache. Bien cachés dans les feuillages, plus à l'abri des ennemis, ils ont moins besoin d'être camouflés.

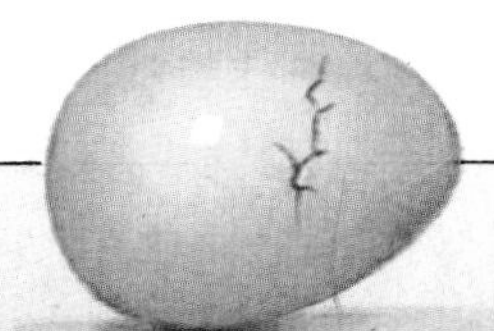

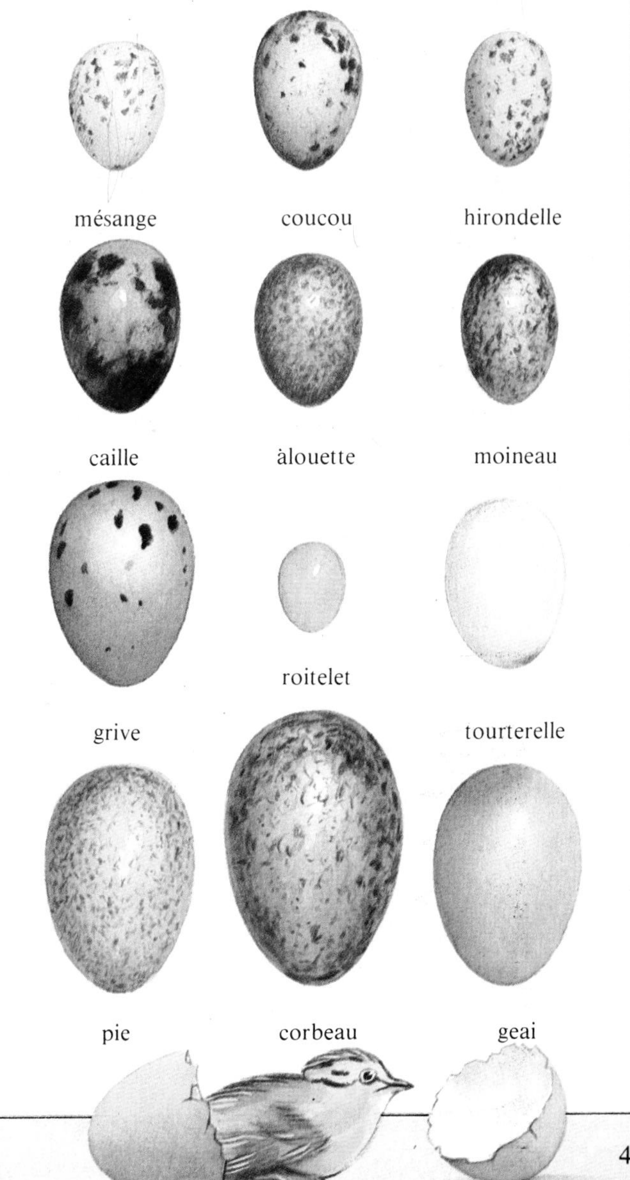
mésange
coucou
hirondelle
caille
àlouette
moineau
grive
roitelet
tourterelle
pie
corbeau
geai

La nichée

Sous un arbre,
au bord de l'eau
Piloulette,
piloulette
J'ai ramassé
un oiseau
Piloulette,
pilouleau.

Ce petit
oiseau-moineau
Piloulette,
piloulette
Ce petit oiseau
Piloulette,
pilouleau.

E. Cusin

Tant qu'ils sont tous petits, les oisillons restent dans leur nid. Les parents les nourrissent en leur donnant la béquée. Ils sont toujours affamés. Du matin au soir, mâles et femelles les nourrissent à tour de rôle.

La mésange charbonnière distribue de la nourriture à ses petits 350 fois par jour. Dès que les oisillons voient leur mère ou leur père arriver, ils dressent tout droit leur cou et ouvrent grand le bec pour recevoir un insecte dans leur gosier.

A ce rythme, ils grandissent vite. Un petit rouge-gorge pèse 2 grammes à sa naissance et 10 fois plus, 12 jours plus tard.

Tes petits vont attendre,
alouette
si haut perdue dans le ciel !

Sampû

Les premières fleurs

Un petit œil
jaune, tout jaune
– c'est la prime-
vère, la première.

Un petit œil
blanc, très franc
– c'est la pâque-
rette mignonnette.

Un petit œil bleu,
malicieux
– c'est le myosotis
tout fleuri.

Un œil de satin
quel malin !
– c'est la violette
qui me guette.

Comptine

Les fleurs des bois fleurissent tôt, et vite, tant que les arbres n'ont pas sorti toutes leurs feuilles. En mars, dans les sous-bois encore clairs, elles profitent des premiers rayons du soleil pour éclore. Après il sera trop tard. Les grands feuilllus étaleront leur ombre et les petites fleurs n'auront plus assez de lumière pour vivre.

Devinette

Mon premier pousse au bord de l'eau
Je joue avec mon second
Mon tout : une jolie fleur jaune vif
qui pousse au printemps.

(La jonquille)

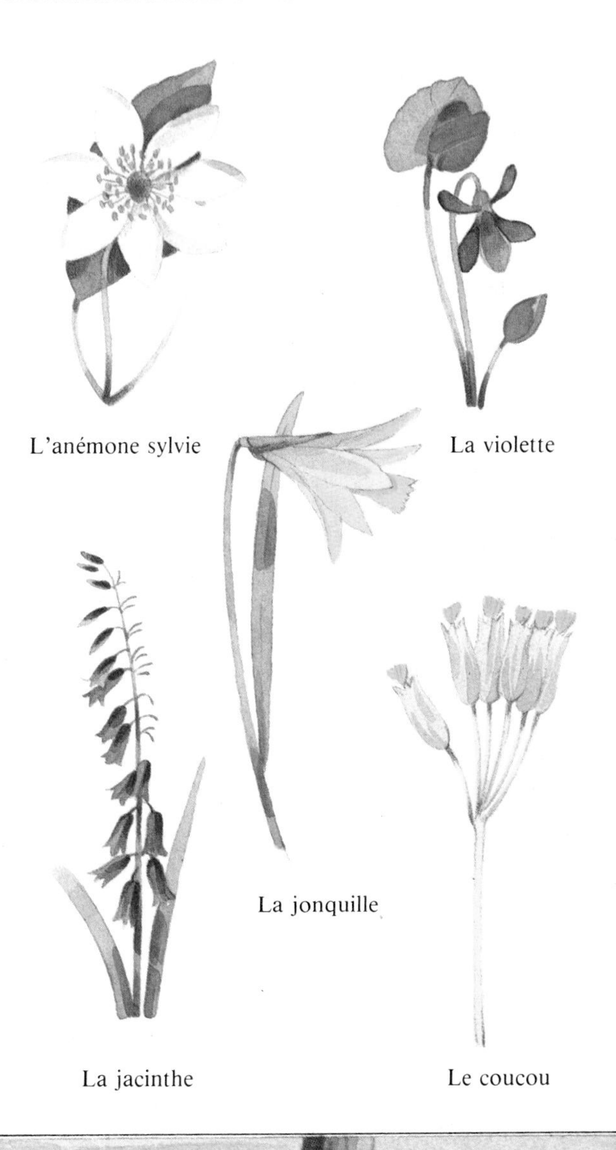
L'anémone sylvie
La violette
La jonquille
La jacinthe
Le coucou

Les plantes aquatiques

Il fait bleu
il fait bon
Il fait aujourd'hui
Il fait bon
il fait bleu
Et je suis né
aujourd'hui
Si vous voulez
savoir mon nom
Mon nom est
Iris bleu

Paul Claudel

La massette (appelée aussi : « quenouille ») fleurit en juin. Sur la même tige, l'épi mâle est en haut et l'épi femelle juste en dessous.

Les lentilles d'eau flottent au bout de longues tiges qui prennent racine au fond de l'eau.

Les nénuphars sont très appréciés des grenouilles qui viennent se reposer sur leurs larges feuilles flottantes.

La sagittaire, surnommée « flèche d'eau » à cause de la forme de ses feuilles, prend racine au fond des étangs.

Le plantin d'eau

La valériane des marais

L'iris jaune

La massette

Le sagittaire

Les nénuphars

Les lentilles d'eau

Du têtard à la grenouille

En mars, la grenouille pond dans les étangs des petits paquets de gelée transparente. Ce sont les œufs. Au milieu de chacun, il y a un petit pépin noir qui grossit et s'allonge comme une virgule.

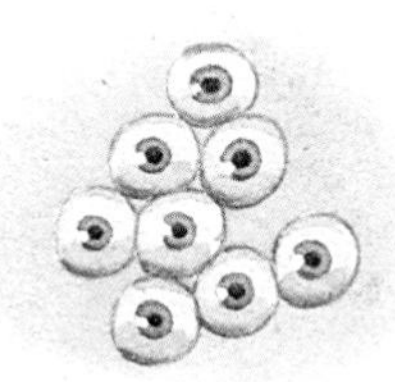

Paquet d'œufs de grenouille.

Bientôt il n'y a plus rien dans la gelée. De minuscules têtards sont nés. Il ont une longue queue mais pas de pattes. Ils ne peuvent vivre que dans l'eau. Pour respirer, ils ont des branchies et une bouche comme les poissons.

Au bout de quelques jours, les têtards nagent et frétillent. Ils mangent des petites plantes et grossissent très vite. Des poumons remplacent leurs branchies.

Peu à peu, leurs pattes se développent et la queue se raccourcit. Ils deviennent carnivores et se mangent entre eux. Il ne reste que les plus forts.

Quand le têtard n'a plus de queue, il est devenu une grenouille qui vit sur terre ou dans l'eau.

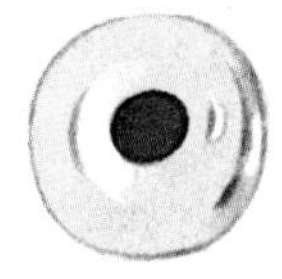

Œuf de grenouille.

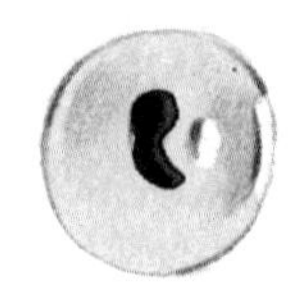

Embryon de têtard.

Le têtard grossit.
Il a une longue queue
et des branchies.

Les pattes arrière
se développent.

La queue se
raccourcit.

La queue tombe, le
têtard est devenu grenouille.

Les grenouilles

Les grenouilles
Elles se posent, presse-papier de bronze, sur les larges feuilles de nénuphar.

Jules Renard

La grenouille verte

La grenouille verte vit dans l'eau et à l'air : elle est amphibie. Sur le sol elle se déplace en sautant par grands bonds : d'un seul coup, elle détend ses longues pattes arrières et se projette en avant, atterrit et recommence.

Dans l'eau, elle nage avec ses pattes arrières palmées qui lui servent de pagaies.

De chaque côté de sa bouche, elle gonfle des petits sacs vocaux qui deviennent gros comme des cerises blanches.

Sa peau est toujours humide. C'est par elle qu'elle boit et respire, aussi la grenouille craint-elle les grosses chaleurs qui lui dessèchent la peau.

Il pleut, il mouille
C'est la fête à la grenouille.

Comptine

La rainette
Quand elle est jeune, elle vit près des mares et des étangs, mais vers deux ans, elle grimpe à un arbre et ne retourne dans l'eau qu'au printemps pour se reproduire.

Le crapaud
Il n'est pas très beau avec sa peau épaisse et couverte de pustules. Mais ses gros boutons lui sont bien utiles quand il ne peut fuir l'ennemi. Un liquide venimeux et qui sent mauvais s'en échappe, irrite la peau de son agresseur qui s'en va à coup sûr.

Accroupi
à son bar d'eau sale
Dans l'attitude
d'un bouddha,
Son long coassement
exhale
De grosses
bulles de soda.

Marcel Mompezat

Le voyage du pollen

Devinette

« Une petite
guirlande
Qui va parmi
la lande
Avec son poil
roussin
Si tu ne
devines pas
Tu me dois
un pot de vin. »

Au printemps, les fleurs qui viennent de s'ouvrir sont chargées de pollen. Pour se reproduire, les plantes ont besoin de cette petite poudre d'or qui se trouve sur les étamines des fleurs. Le vent ou les insectes transportent le pollen sur le pistil d'une autre fleur de la même espèce. Le pollen pénètre dans le pistil et le féconde. La fleur se fanera, le pistil grossira, et donnera un fruit. Dans chaque fruit il y a une petite graine ou un pépin qui tombera à terre, germera et donnera naissance à une nouvelle plante.

Les fleurs aux couleurs vives

Les fleurs qui sont fécondées par les insectes ont de belles couleurs vives pour les attirer. Quand les insectes viennent sucer le nectar, nourriture sucrée, le pollen s'accroche à leur corps. Quand l'insecte butine une autre fleur, il dépose le pollen sur le pistil.

Les longues étamines

Les fleurs qui sont fécondées par le vent ont des couleurs plus pâles mais de longues étamines que le vent secoue facilement. Le pollen s'envole. Le pistil de l'autre plante qui est très long retient le pollen quand il passe, porté par la brise.

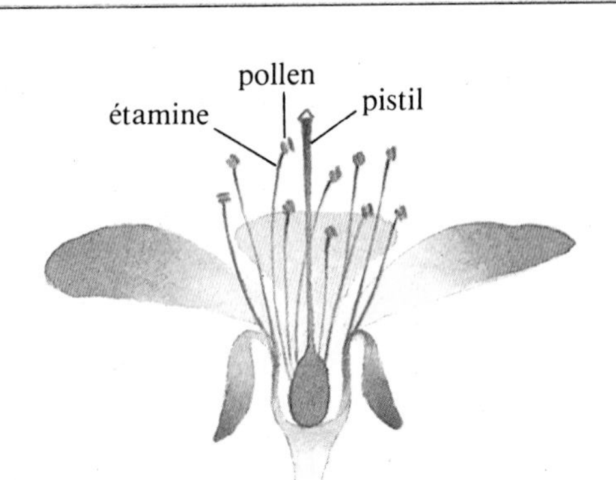

Et le gai bouton d'or, lumineuse parcelle,
Pique le gazon vert de sa jaune étincelle.
Le muguet, tout joyeux agite ses grelots,
Et les sureaux sont blancs
de bouquets frais éclos ;
Les fossés ont des fleurs
à remplir vingt corbeilles,
A rendre riche en miel tout un peuple
d'abeilles.

Théophile Gautier

Les abeilles

A l'abbaye des abeilles
Chacune a son p'tit panier
Sitôt qu'elles se réveillent
S'en vont faire le marché.

Claude Roy

Dans une ruche, il y a entre 20 000 et 50 000 abeilles ouvrières, une seule reine par ruche (la seule abeille à pouvoir pondre) et quelques centaines de mâles ou faux bourdons.

La récolte

Une ouvrière est partie butiner une fleur débordante de pollen ; elle recueille entre ses pattes cette poudre qui servira de nourriture, puis elle s'envole à nouveau. Elle a trouvé un coin où les fleurs sont pleines de nectar. C'est un liquide sucré que l'abeille aspire et qu'elle mélange avec une salive spéciale pour fabriquer du miel. De retour à la ruche, elle recrache le miel dans une alvéole de cire. Puis, elle danse une sorte de ballet pour indiquer aux autres abeilles l'endroit merveilleux où elle a butiné. Aussitôt, tout un bataillon d'abeilles part sur le lieu de la récolte.

Le travail à la ruche

Pendant ce temps, d'autres abeilles construisent de nouvelles alvéoles de cire, nettoient la ruche, nourrissent les jeunes larves avec une pâte faite de pollen et de nectar. Certaines emmagasinent le miel dans les alvéoles qu'elles bouchent avec une goutte de cire, et rangent le pollen dans d'autres alvéoles. Chaque abeille a une tâche particulière, et elles travaillent toujours par équipe.

L'abeille, vient, fouille, quête,
Travaille comme un moissonneur,
Et par moments lève sa tête
Et dit au nuage : flâneur !

Victor Hugo

Les semailles

carotte

persil

pomme

haricot

petit pois

Au printemps, le jardinier retourne la terre pour l'aérer. Il casse les mottes de terre, lisse la terre avec le dos de son râteau, et dépose un peu d'engrais ou de fumier. La terre est préparée ; il peut semer ses graines.

Pour semer les petites graines comme celles du persil ou du cresson, il suffit de les disperser à la volée. Il faut que les graines soient bien éparpillées pour que les germes qui pousseront ne s'étouffent pas entre eux.

Pour semer en rangée, le jardinier trace des sillons bien droits dans la terre, avec un petit bout de bois, et y dépose soigneusement des graines de carottes par exemple.

Les grosses graines comme celles du haricot sont plantées à intervalles réguliers. Le jardinier les enfonce puis les recouvre de terre. Comme toutes ne germeront pas, il vaut mieux mettre deux graines dans le même trou. Si au contraire les germes deviennent trop nombreux, il faut les déterrer et les replanter ailleurs.

Quand les semailles sont terminées, le jardinier arrose légèrement, puis il ratisse et tasse la terre.

Graine de pomme dans ma main,
goutte brune, tendre pépin,
je tiens le pommier dans ma main.

Pierre Gamarra

La germination

A la salade
Quand elle poussera
On la mangera
Avec de l'huile
Et du vinaigre,
De la ciboulette
Et de la civette,
Avec Jeanneton
Qui a des oignons
En toute saison.

Comptine

Dans le sol, les graines absorbent de l'eau et gonflent peu à peu. Leur enveloppe éclate, les racines apparaissent, s'allongent et pompent l'eau dans le sol. Mais la plante est encore trop fragile pour se nourrir par ses jeunes racines. Elle puise encore dans les réserves de sa graine qui se vide peu à peu. Quand les racines deviennent assez fortes, la plante n'a plus besoin de sa graine. La germination est finie.

Grain de haricot en terre.

Le germe sort pour chercher sa nourriture.

La racine se développe, la tige sort de terre.

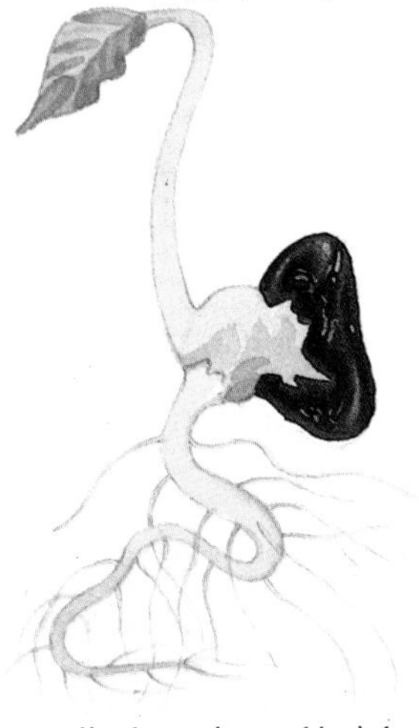

La tige grandit, le grain se déssèche et tombe.

La vie des fleurs

Les fleurs des jardins ne se sèment pas toutes à la même époque et n'ont pas toutes la même durée de vie.

Les fleurs annuelles semées au printemps, grandissent, fleurissent, donnent des graines et meurent au cours de la même année. Ce sont par exemple, les pétunias, les capucines, les tournesols, les cosmos. Pour en avoir de nouvelles, il faut semer des graines chaque année.

Les fleurs bisannuelles vivent deux années. On les sème en été et elles ne fleurissent que la seconde année. C'est le cas des digitales, des pensées.

Les fleurs vivaces vivent et fleurissent plusieurs années. Leurs tiges meurent en automne, mais le pied très robuste, fait des réserves de nourriture pendant l'hiver et donne de nouvelles pousses au printemps. Ce sont les pivoines, les iris, les marguerites.

Le géranium et le fuchsia fleurissent chaque année, s'ils sont bien protégés des gelées, l'hiver.

Le géranium

Les premières roses s'éveillent
leur parfum est timide
comme un rire léger, léger.
Fuyant, le jour les frôle
d'une aile lisse l'hirondelle...

Rainer Maria Rilke

Le fuchsia

Les mauvaises herbes du jardin

Salade de pissenlit
Bien laver les feuilles, les égoutter. Les accomoder avec une sauce vinaigrette et des œufs durs coupés en rondelles.

Soupe d'orties
Faire cuire pendant 20 mn 200 g d'orties et 4 pommes de terre. Passer le mélange à la moulinette. Remettre sur le feu, saler, poivrer et ajouter la crème fraîche au moment de servir.

Au printemps, les mauvaises herbes envahissent tout le jardin. Le jardinier les appelle mauvaises parce que ce n'est pas lui qui les a plantées. Il les arrache pour qu'elles n'étouffent pas les fleurs qu'il a semées. Mais dans les champs et les prés, elles fleurissent à tout vent.

Parmi ces « mauvaises herbes », certaines pourtant sont bonnes à manger. Comme le pissenlit, en salade, ou l'ortie, en potage.

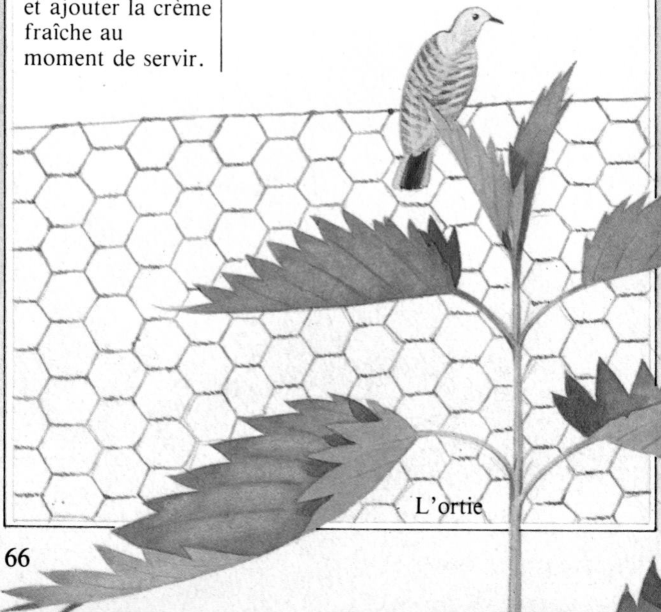
L'ortie

Le pissenlit
Le mouron
Le trèfle blanc
Le chardon

Le calendrier des légumes

Ecoute :
un arrosoir, là-bas
heurte une bêche,
Et plus loin,
par delà la haie et
le jardin,
Le doux bruit
d'une faux siffle
dans l'herbe fraîche.

Henri de Régnier

Il y a beaucoup de choses à faire au printemps dans le jardin : préparer les semences, semer, repiquer, arracher les mauvaises herbes, récolter les derniers poireaux et les derniers choux, planter les pommes de terre, semer les carottes et les oignons... Voici un calendrier des travaux du jardinier.

à semer — à repiquer — à récolter

	mars	**avril**	**mai**	**juin**
pommes de terre				
courges				
petits pois				
haricots secs				

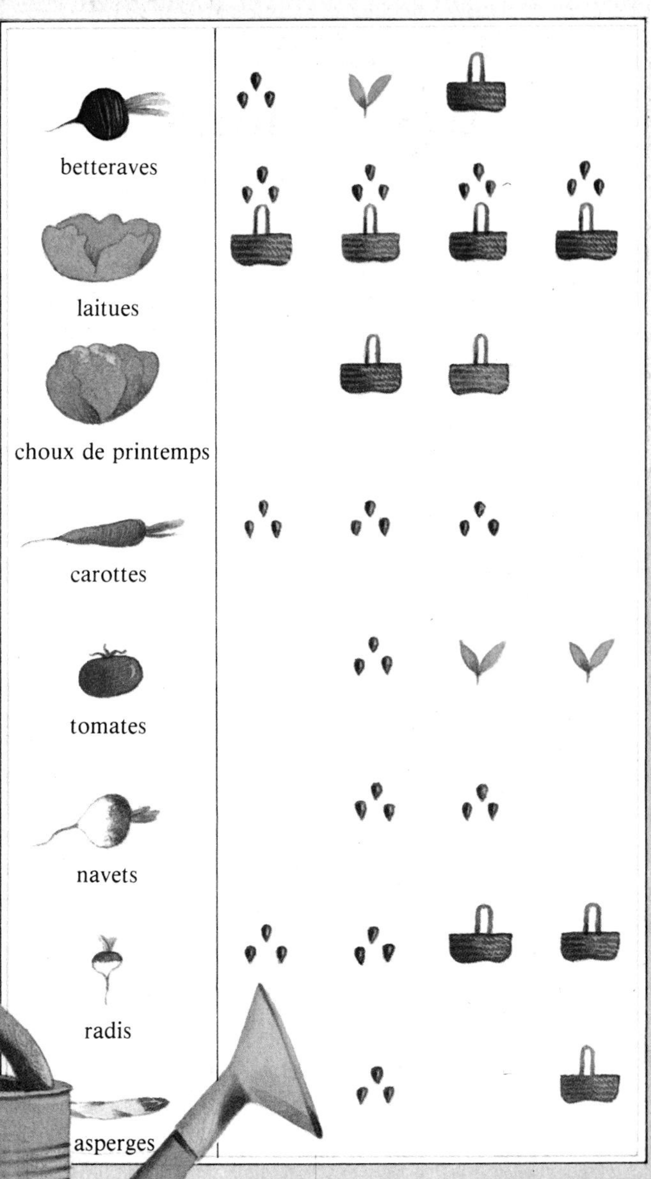
betteraves
laitues
choux de printemps
carottes
tomates
navets
radis
asperges

Les fourmis et les pucerons

Une fourmi
Fait un trajet
De cette branche
A cette pierre,
Une fourmi,
Taille ordinaire
Sans aucun signe
Distinctif,
Ce matin, juin,
Je crois le sept ;
Elle porte un
Brin, un fétu.
Cette fourmi,
Taille ordinaire,
Qui n'a pas la
Moindre importance
Passe d'un trot
Simple et normal.
Il va pleuvoir,
Cela se sent.
Et je suis seul ;
Moi, seul au monde
Ai vu passer
Cette fourmi...

Norge

Le jardin est envahi de minuscules nouveaux-nés. Ils se serrent en grappes autour des tiges et des feuilles des plantes. Ce sont des pucerons qui sucent et aspirent la sève des plantes.

Le puceron ne vit que 5 jours, mais en une seule journée, il peut donner naissance à 20 petits. A ce rythme, les plantes ne résistent pas longtemps et se flétrissent vite. Sauf si les coccinelles arrivent. Elles peuvent dévorer une centaine de pucerons par jour.

Les fourmis, au contraire, sont les amies des pucerons.

Elles en élèvent des troupeaux entiers, car elles adorent se nourrir des restes de la digestion du puceron, une sorte de miel : le miellat.

Avec ses antennes, la fourmi tapote l'abdomen du puceron pour en faire sortir le miellat.

Pour empêcher les abeilles ou les mouches de voler le miellat, les fourmis construisent des petits murs autour des colonies de pucerons installées sur des plantes basses. D'autres fourmis transportent les œufs des pucerons et les mettent à l'abri pour l'hiver.

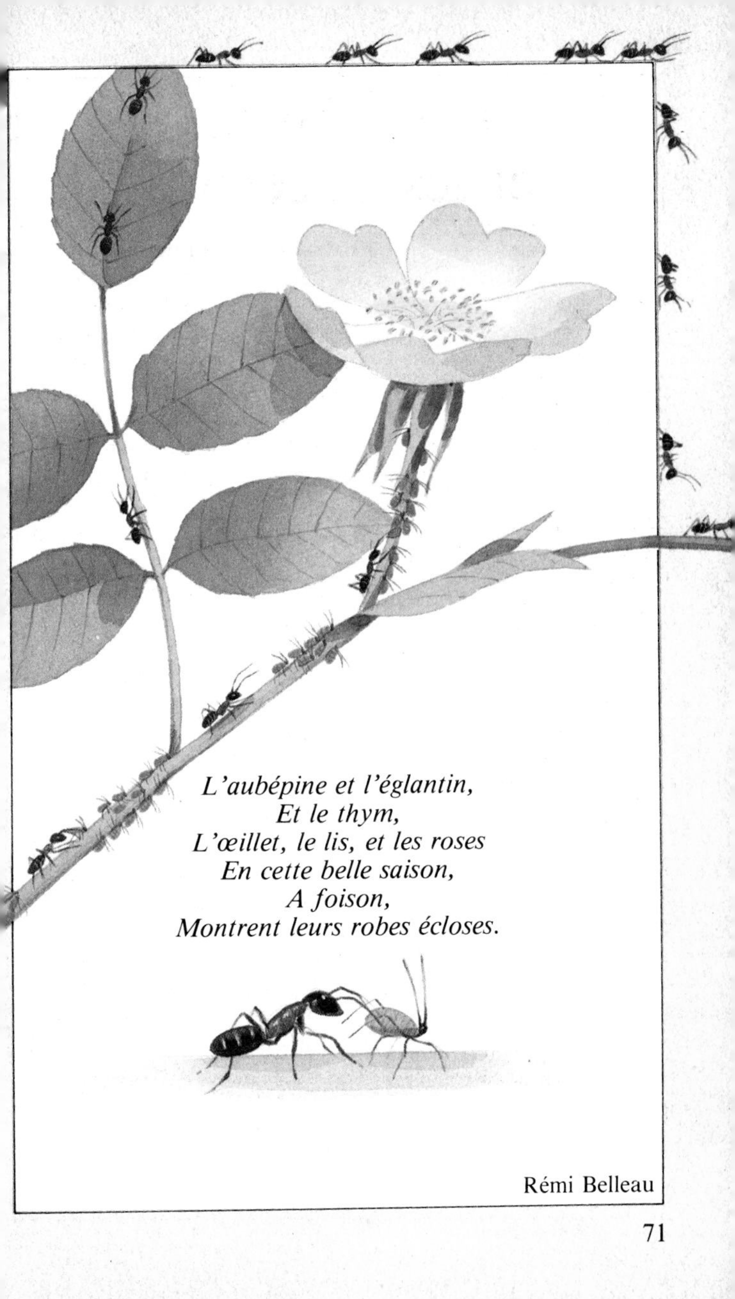

L'aubépine et l'églantin,
Et le thym,
L'œillet, le lis, et les roses
En cette belle saison,
A foison,
Montrent leurs robes écloses.

Rémi Belleau

Le réveil des hannetons

1. Œufs déposés en terre par la femelle du hanneton.

2. Larve ou « ver blanc ».

3. Le ver blanc se nourrit pendant 3 ans de racines.

4. Le ver blanc se transforme en chrysalide (de août à septembre).

5. Le hanneton sort de terre au printemps.

Les hannetons sont sortis de terre et s'envolent vers la cime des arbres. Grands mangeurs de feuilles, ils sont redoutables pour les arbres fruitiers qui restent, après leur passage, un an ou deux sans donner de récolte. Heureusement, l'invasion des hannetons n'a lieu que tous les trois ou quatre ans. Il leur a fallu une longue et patiente vie souterraine pour devenir adultes.

Il y a quatre ans, une femelle a pondu en été des œufs sous la terre. Les petits vers blancs qui en sont éclos, ont vite grandi en se nourrissant de racines. Ce n'est que l'été de la troisième année qu'ils se sont métamorphosés en hannetons. Mais ils sont restés encore toute une année dans le sol et ont attendu le printemps suivant pour sortir et s'envoler.

Les mâles seront les premiers à mourir, début juillet. Les femelles vivront quelques jours de plus, le temps de pondre.

1

2

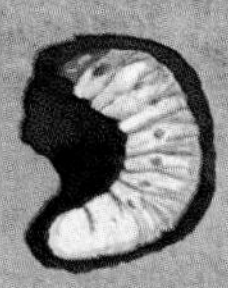

3

Un bourgeon tardif s'ouvre et
s'envole du marronnier.
Plus lourd que l'air,
à peine dirigeable,
têtu et ronchonnant,
il arrive tout de même au but,
avec ses ailes en chocolat.

Jules Renard

De la chenille au papillon

Le papillon est une chenille
Qui a rêvé toute sa vie
De s'envoler, d'être jolie.

Frédéric Kiesel

Si le papillon vole en avril,
Garde tes chaussures et tes gants.

Le piéride du chou.
Ce papillon est très friand de chou. Il peut en dévorer des champs entiers.

La femelle papillon dépose dans le creux d'une branche 200 à 300 œufs. Au bout de quelques jours, une minuscule chenille sort de chacun d'eux : c'est une larve.

Vorace, la larve ronge les feuilles, dévore les pucerons, et grossit à vue d'œil. Sa peau devient bientôt trop étroite. Elle quitte ce vêtement trop petit et réapparaît avec une peau plus grande : c'est la mue.

Après 3 semaines de vie gloutonne, et plusieurs mues, la chenille dévide de sa bouche un fil de soie et se tisse un cocon.

Dans son cocon, la chenille se transforme en chrysalide. Tout l'automne et tout l'hiver, un papillon se fabrique.

Les arbres et les bourgeons sont gonflés de sève, les fleurs éclosent. C'est le moment pour la chrysalide de déchirer son enveloppe.

Un papillon aux ailes chiffonnées et humides sort de son maillot dur.

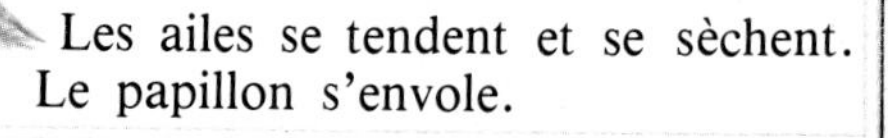

Les ailes se tendent et se sèchent. Le papillon s'envole.

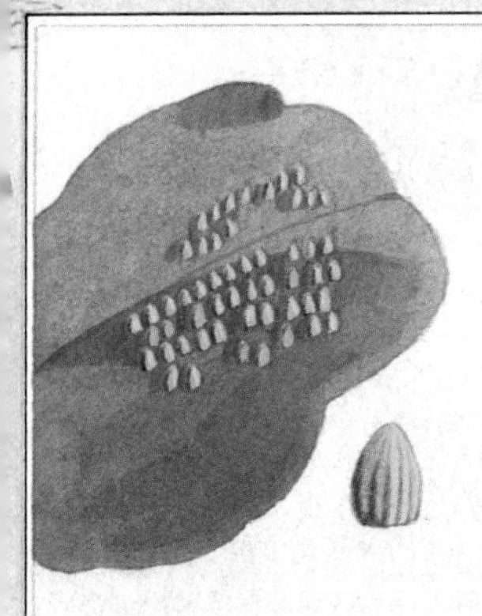

Œufs de papillon.

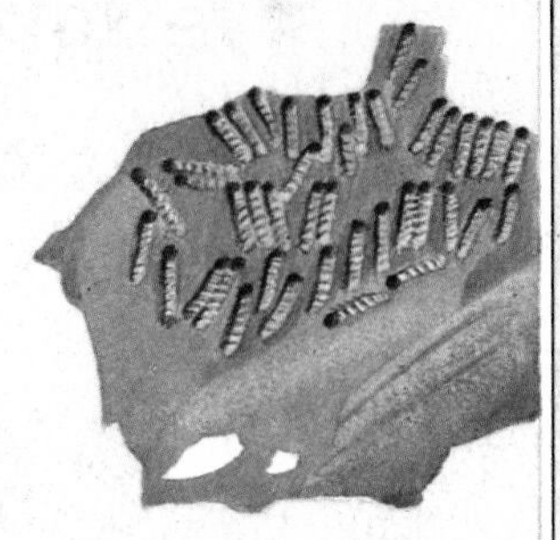

Les œufs ont éclos. De minuscules chenilles en sont sorties : les larves.

Le travail mène à la richesse.
Pauvres poètes, travaillons !
La chenille en peinant sans cesse
Devient le riche papillon.

Guillaume Apollinaire

Dans son cocon, la chrysalide s'est transformée en papillon.

Papillons de jour

Chenille du vulcain

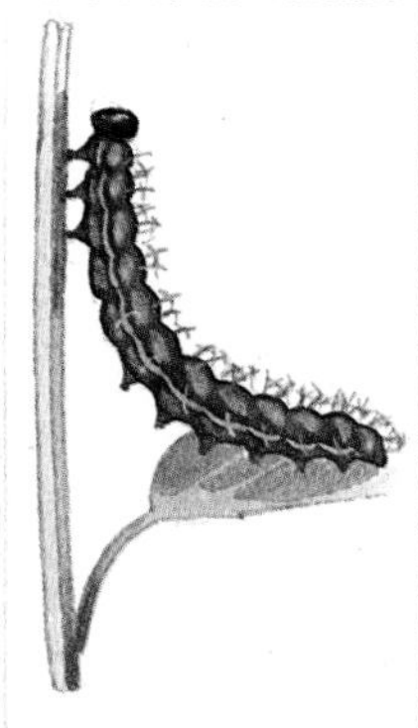

Voici le vulcain rapide,
Qui vole comme un oiseau.
Son aile noire et splendide
Porte un grand ruban ponceau.

Gérard de Nerval

Vous rencontrerez ces papillons du printemps à l'automne. Ils aiment le soleil et partent à la recherche de leur nourriture dès qu'il est assez chaud.

Le vulcain.
Il passe l'hiver en Afrique du Nord et revient dans nos jardins de mai à octobre pour butiner les asters et les fruits tombés des arbres.

La belle-dame.
C'est aussi un papillon migrateur. Il vient du Sud et traverse la Méditerranée et les Alpes pour visiter en mai les fleurs de chardon et d'orties.

Le grand porte-queue.
On le rencontre de juin à septembre dans les prairies. Sa chenille est d'un beau vert rayé de rouge et d'orange.

Le petit nacré.
De mars à l'automne, on le rencontre dans les prairies. Sa chenille aime les feuilles de violette et le sainfoin.

Le petit nacré

Le vulcain

La belle-dame

Le grand porte-queue

Papillons de nuit

Et les sphinx aux
couleurs sombres,
Dans les ombres
Voltigent en
tournoyant.

Gérard de Nerval

Les papillons de nuit sont beaucoup plus nombreux que les papillons de jour. Leur corps est plus épais et leurs antennes souvent velues et enroulées. Ils volent la nuit et sont attirés par les lumières des maisons. Le jour, ils dorment en repliant leurs ailes à plat sur leur dos.

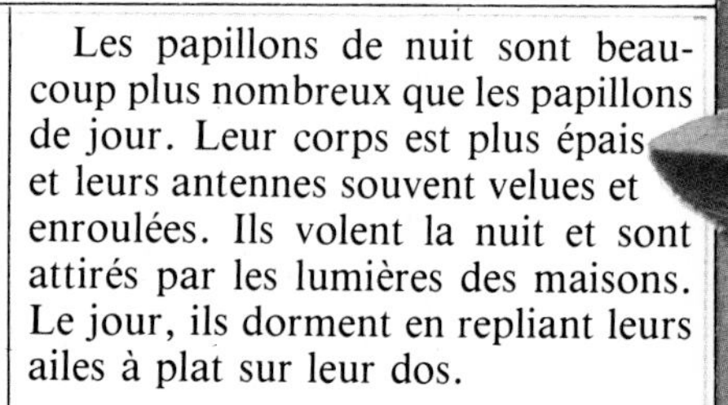

Le sphinx du troène.
On le rencontre en juin. Sa chenille se promène sur les haies de troène ou les feuilles de lilas.

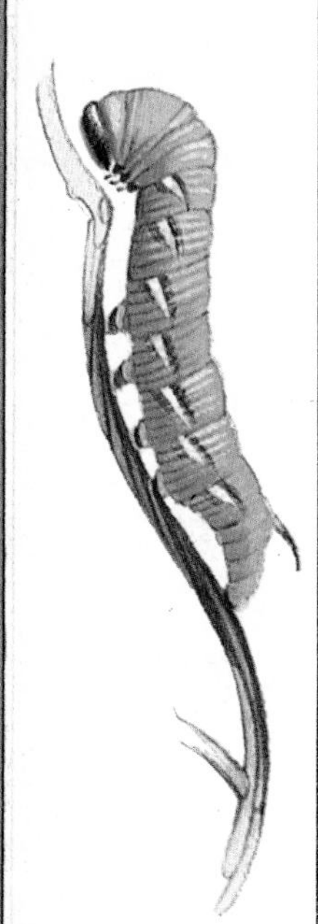

Chenille du sphinx du troène

La Goutte de Sang.
Ce papillon fréquente d'avril à août les prairies et les endroits fleuris. Il est vénéneux et se signale à ses ennemis par ses couleurs vives.

La faucille.
C'est un papillon des forêts. Il vole en juin et juillet près des bouleaux. Sa chenille vit sur les trembles, les peupliers, les bouleaux.

Le sphinx de la vigne.
On le voit en mai-juin dans les jardins et les prairies en fleur. Sa chenille vit sur la vigne et le chèvrefeuille.

Le sphinx du
troène
La Goutte de
Sang
La faucille
Le sphinx de la
vigne

De la fleur au fruit

Quand il pleut
La première nuit de mai,
Il n'y a point de cerises.

Au milieu de la fleur, logé comme au fond d'un vase dans le calice, se dresse le pistil. Dans la boule du pistil, on trouve un petit œuf, l'ovule, où se loge le germe du futur cerisier. Quand le tube du pistil, le stigmate, reçoit les grains de pollen, la fleur est fécondée ; elle se fane peu à peu. Les pétales et les étamines tombent. Mais l'ovule grossit, fait craquer le calice et devient une graine, bien protégée dans une solide cuirasse. Ce n'est encore qu'une petite cerise verte. Mais au fil des semaines, l'enveloppe qui est autour de la graine s'épaissit, devient charnue, tendre et sucrée et tout autour de la graine, une paroi dure comme du bois se forme : c'est le noyau. Encore quelques jours de soleil et la cerise sera mûre.

Passez la beauté
dansez les images
dehors c'est la nuit
dedans c'est la vie
demain c'est un fruit
arrondi et pur
qui mûrit sans bruit.

Pierre Boujut

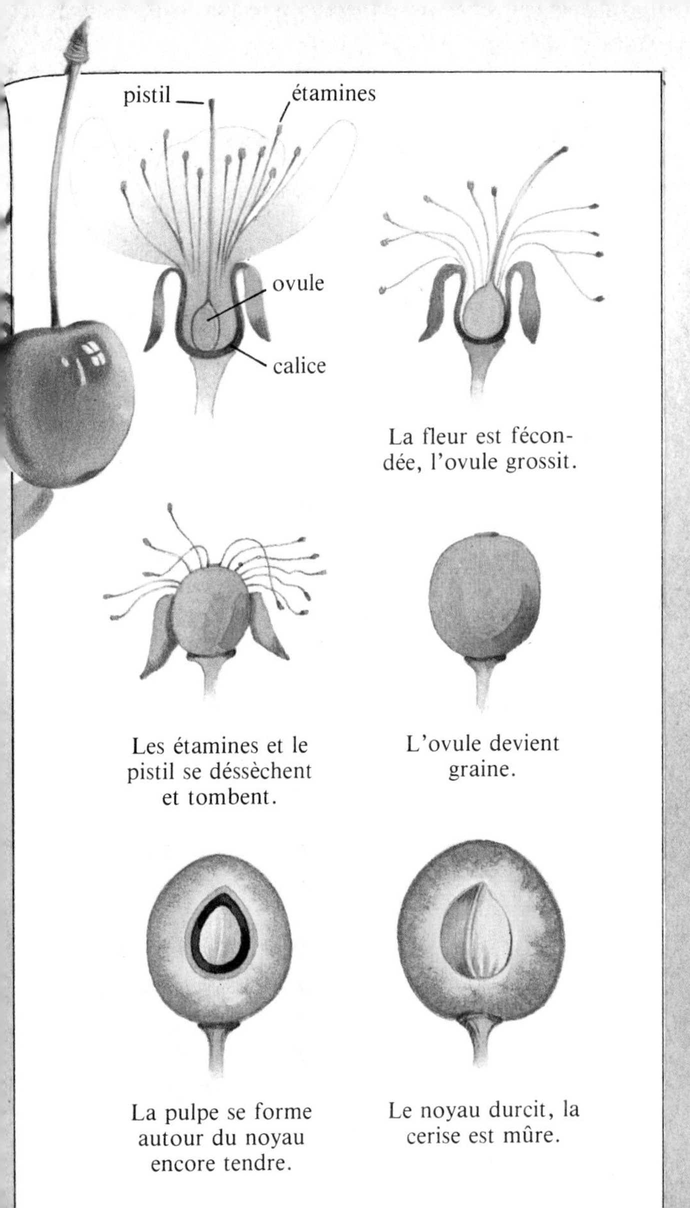

La fleur est fécondée, l'ovule grossit.

Les étamines et le pistil se déssèchent et tombent.

L'ovule devient graine.

La pulpe se forme autour du noyau encore tendre.

Le noyau durcit, la cerise est mûre.

Fruits de printemps

Les cerises
En ont assez
De regarder par terre
Alors
Elles ont regardé en l'air
Et elles sont devenues
Des ballons rouges

André Clair

Juin est le mois des cerises et des baies du jardin. Les fraises murissent les premières, puis ce sont les massifs de groseillers, de cassis et de framboises qui se couvrent de petits fruits rouges.

Trois groseilles rouges
Pendues à leur groseiller
Se balancent
Le pinson les a gobées...

Trois petites fraises rouges
Bien cachées sous les fraisiers...
Pas de chance
Pas de chance !
L'escargot les a sucées !

Trois framboises rouges
Dressées sur leurs framboisiers
Je m'avance,
Je m'élance...
C'est moi qui les ai mangées !

E. Ayanidès

La groseille
La groseille à maquereau
Le cassis
La framboise
La cerise
La fraise

Les petits des animaux

Je vois les agneaux bondissants
sur ces blés
qui ne font que naître ;
Cloris, chantant
les mêmes paître,
Parmi ces coteaux,
verdissants.

Théophile de Viau

Le printemps est pour beaucoup d'animaux l'époque des naissances. Selon les espèces, la période de gestation (le moment où la mère porte ses petits) est plus ou moins longue. Les jeunes viennent au monde, mal assurés sur leurs pattes. Ils têtent, dorment beaucoup, dans une tannière, une étable, une niche. Certains animaux deviennent vite adultes, d'autres restent plus longtemps avec leur mère, comme le poulain, le faon, même après le sevrage (le moment où la mère cesse d'allaiter son petit).

le lapin

gestation : 1 mois
7 à 8 lapereaux
adulte à 1 mois

le chien

gestation : 9 semaines
2 à 7 chiots
adulte à 1 an

le chat

gestation : 8 semaines
3 à 6 châtons
adulte à 1 an

le mouton

gestation : 4 mois
1 à 5 agneaux
adulte à 10 ou 12 mois

le porc

gestation : 4 mois
8 à 20 porcelets
adulte à 10 ou 12 mois

le cheval

gestation : 11 mois
1 poulain
adulte à 1 an, 1 an et demi

la vache

gestation : 10 mois
1 veau
adulte à 5, 8 mois

le renard

gestation : 2 mois
3 à 8 renardeaux
adulte à 10 mois

Les foins

Or,
n'est-ce pas
joyeux de voir
au mois de Juin
dans les granges
entrer des voitures
de foin énormes,
de sentir l'odeur
de ce qui pousse,
des vergers,
quand il pleut un
peu...

Arthur Rimbaud

En juin, le cultivateur, monté sur sa faucheuse va dans la prairie. Ce n'est pas une prairie naturelle où l'herbe a poussé librement, mais une prairie artificielle. L'an prochain, elle sera labourée pour y semer du blé ou de la betterave.

A la surface, les petites fleurs violettes ondulent dans le vent : c'est la luzerne. On la fauche juste avant que la fleur ne donne son fruit, quand elle est encore bien gonflée de sève.

Au soleil, elle sèche de longues journées, et deviendra le fourrage qui servira l'hiver de nourriture au bétail.

Le bleu
Pâlit
De bonheur
C'était
Le printemps.
Malcolm de Chazal
Les Ballerais 10 juin 1982. S.L

Le petit lexique du printemps

Amours

Le printemps est la saison des amours. C'est à ce moment que les couples des animaux se forment et qu'ils préparent nids et terriers pour l'arrivée de leurs petits.

Années

Dans le langage poétique, on dit parfois *printemps* au lieu de *années,* en parlant d'une jeune personne (Elle compte quinze printemps).

Appeau

Petit sifflet ou instrument à vent qui imite le cri des oiseaux et qui sert à les appeler et à les attirer.

Arbre de mai

Autrefois, le premier jour de mai, on avait coutume de planter un arbre, couvert de rubans et dédié à une personne aimée. C'était *l'arbre de mai.*

Botticelli

Un des plus célèbres tableaux de ce peintre italien de la Renaissance (1445-1510) s'intitule *Le printemps.* Il est exposé au Musée des Offices à Florence.

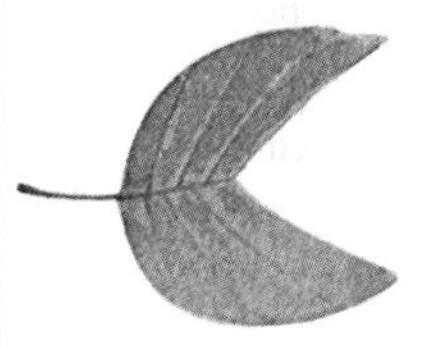

Crapaud accoucheur

Ce n'est pas toujours les femelles qui mettent les petits au monde. Le crapaud accoucheur couve les œufs que sa femelle a pondus, sur son dos, sous une membrane qui les tient au chaud. Des têtards en sortent, quelques semaines plus tard.

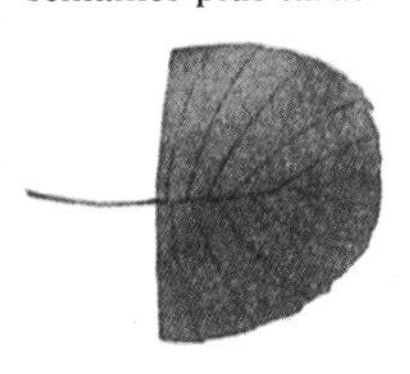

Doigts verts

On dit d'une personne qu'elle a *les doigts verts* lorsqu'elle a un talent particulier pour soigner et faire pousser les plantes.

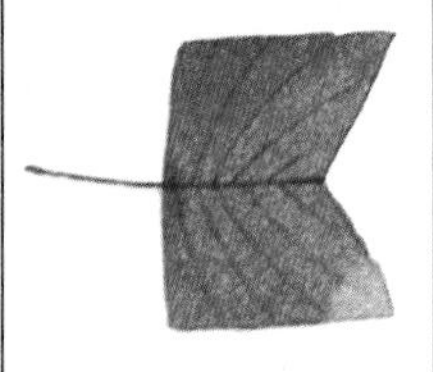

Essaimage

C'est l'époque où les abeilles essaiment, sortent de la ruche en essaim pour aller s'installer ailleurs.

Floralies

Pour fêter le printemps et le retour des fleurs, certaines villes organisent des floralies, somptueuses expositions florales.

Floréal

C'était le mois des fleurs, dans le calendrier de la Révolution française. Il commençait le 20 avril et se terminait le 20 mai.

Florilège

Comme un bouquet de fleurs variées, c'est un livre où sont rassemblés de nombreux poèmes.

Géraniums

Lorsque reviennent les beaux jours, c'est le moment de ressortir les géraniums de la cave, ils ne craindront plus le gel.

Germinal

C'était le mois de la germination, dans le calendrier de la Révolution Française. Il commençait le 21 mars et se terminait le 20 avril.

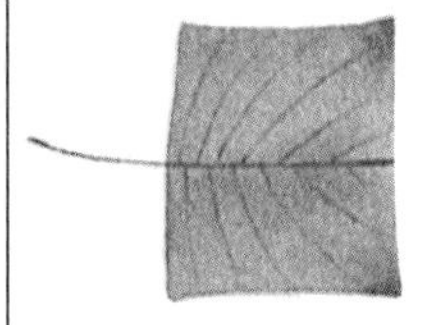

Herbier

Il y a deux façons de faire un herbier. La plus courante consiste à cueillir des fleurs, à les faire sécher bien à plat entre des gros livres, puis à les coller sur les feuilles d'un cahier. Pour la seconde, il est inutile d'herboriser (de ramasser des fleurs). On reproduit en effet les fleurs en les dessinant.

Iris

Les pétales larges et tombants de cette fleur des marais servent souvent de terrain d'aterrissage aux insectes.

Jeunes

Dans les livres scientifiques sur les animaux, on n'emploie pas, pour leur progéniture le terme de « petits » mais celui de « jeunes ».

Jours

Les noms des jours de la semaine proviennent du latin. Le *di* qu'ils ont en commun vient de *dies* qui signifie *jour*.
Le dimanche est le jour du Seigneur,
le lundi, le jour de la lune,
le mardi, le jour de Mars (dieu de la guerre),
le mercredi, le jour de Mercure (dieu du commerce),
le jeudi, le jour de Jupiter (le roi des dieux),
le vendredi, le jour de Vénus (déesse de l'amour),
le samedi, le jour du sabbat.

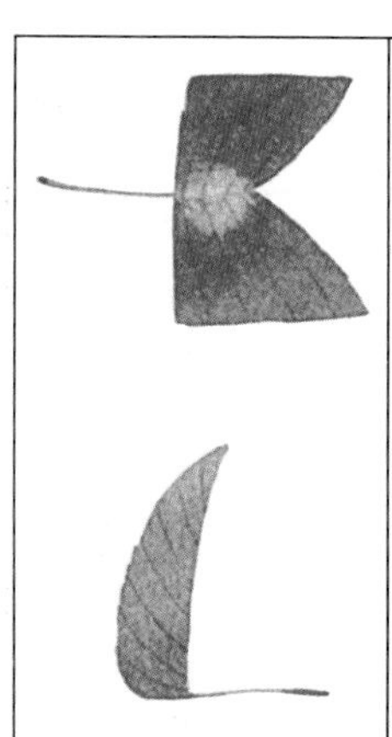

Langage

Vous savez tous que le chien *aboie* et que le corbeau *croasse.* Mais connaissiez-vous les termes que l'on emploie pour ces autres animaux :

le chamois *siffle*
le chevreuil *rée*
la corneille *braille*
la couleuvre *siffle*
le criquet *stridule*
le faon *râle*
le lapin *souffle*
le renard *glapit*
le sanglier *gromelle.*

Lièvre de Pâques

En Allemagne, le matin de Pâques, la coutume veut qu'un lièvre vienne cacher dans les jardins des œufs peints et des friandises pour les petits enfants. Ceci explique la présence de lièvres en chocolat dans les vitrines des confiseurs à l'époque de Pâques.

Météorologie

C'est la science qui étudie le temps. Les abeilles sont de très bonnes météorologistes : si elles ne sortent pas de la ruche, c'est que le temps est à la pluie. Si par beau temps elles rentrent brusquement à la ruche, l'orage n'est pas loin. Lorsqu'elles en sortent de bon matin, le temps sera beau.

Mois

Comme les jours de la semaine, les noms des mois viennent du latin :
Janvier était le mois du dieu *Janus,* dieu à deux visages,
Février, le mois de *Februs,* dieu de la purification,
Mars était dédié à *Mars,* dieu de la guerre,
Avril vient d'un mot latin signifiant « s'ouvrir », c'est le mois où la terre *s'ouvre,*
Mai était le mois de la déesse *Maia,*
Juin, le mois de *Junius* Brutus, premier consul romain,
Juillet, le mois de *Jules* César,
Août, le mois d'*Auguste,*
Septembre, le *septième* mois de l'année romaine, qui commençait en mars,
Octobre, le *huitième* mois,
Novembre, le *neuvième* mois,
Décembre, le *dixième* mois.

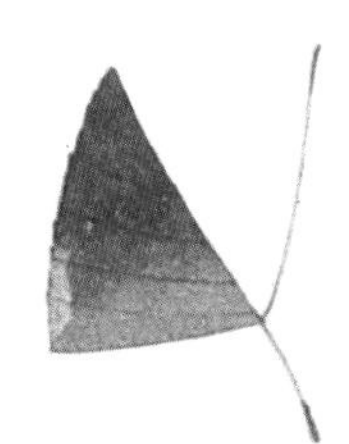

Nid-d'abeilles

Certains tissus ou broderies sont appelés *nid d'abeille,* car ils imitent les alvéoles où les abeilles entreposent leur miel.

Orvet

C'est un inoffensif petit lézard sans pattes. Il n'a pas besoin de se déplacer rapidement, puisque ses proies principales sont les limaces ! Il est aussi fragile que du verre, et si on l'attrape, il se casse en deux.

Ovipares

Les ovipares sont les animaux qui se reproduisent par les œufs. C'est le cas des oiseaux, des crustacés, des poissons, des reptiles et de la plupart des insectes.

Pâquerette

Cette petite fleur blanche fleurit dans les prairies aux alentours de Pâques, d'où son nom.

Parasite

Un parasite, c'est un animal ou une plante qui vit au crochet d'un autre. Cet autre s'appelle l'hôte.
Le pou, la puce, la punaise, le tique sont des parasites qui vivent sur les chiens, les cochons et autres animaux.

Prairial

C'était le mois des prairies, dans le calendrier de la Révolution Française. Il commençait le 20 mai et se terminait le 19 juin.

Primevère

Le nom de cette première fleur du printemps vient du latin *prima vera,* « premier printemps ».

Printemps

Vient du latin *primus tempus,* « premier temps », car c'est la première des quatre saisons.

Proverbes

Vous connaissez sans doute le sens de ces proverbes printaniers :
Une hirondelle ne fait pas le printemps
Petit à petit l'oiseau fait son nid.

Quasimodo

On appelle le dimanche de quasimodo, le dimanche qui suit la fête de Pâques.

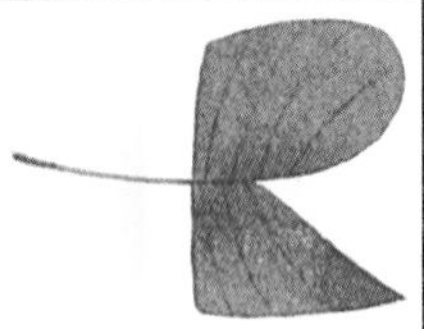

Rabouillère

Terrier spécialement creusé par la lapine pour abriter ses lapereaux. Elle les allaite dans ce terrier pendant trois semaines.

Renouveau

Un autre nom pour le printemps.

Syrinx

Les oiseaux n'ont pas de cordes vocales pour chanter. Ils ont, dans leur gosier, un petit organe, le syrinx. Celui du rossignol est très musclé, et fait de lui le champion des passereaux chanteurs.

Sève

La sève ne quitte pas les plantes, à la fin de l'automne. Elle s'y endort, tout simplement, pour se remettre en mouvement au début du printemps.

Trilles

A la saison des amours, les oiseaux mâles, pour attirer l'attention des femelles, lancent des trilles, modulations de leurs chants sur deux notes voisines.

Usurpateur

Le coucou est le seul oiseau de la forêt à ne pas construire son nid. Il pond son œuf dans un nid qui lui plaît et l'abandonne là. Les parents adoptifs élèveront le petit coucou comme leur propre oisillon qui parfois deviendra plus gros qu'eux.

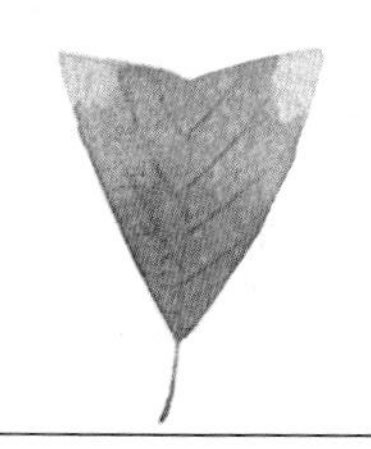

Vert

Dans la nature, le vert prend une multitude de nuances.
On trouve au printemps le vert-jaune du blé, le vert-bleu de l'avoine, le vert-gris du seigle. Mais aussi : le vert amande, le vert bouteille, le vert émeraude, le vert jade, le vert olive, le vert Véronèse, le vert céladon, le vert absinthe...

Vrilles

Quand la vigne reprend vite, à la fin de l'hiver, elle donne, en croissant, des milliers de petites pousses en tire-bouchon qui lui permettent de se fixer sur les tuteurs.

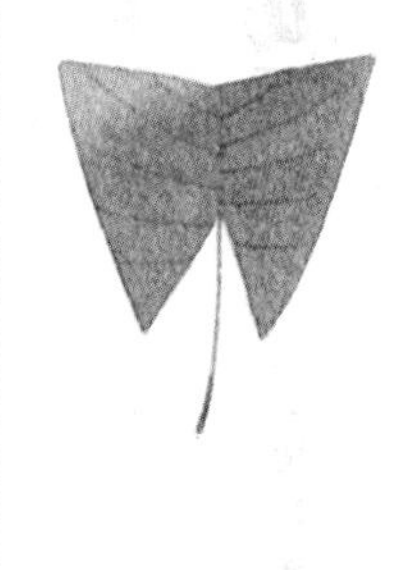

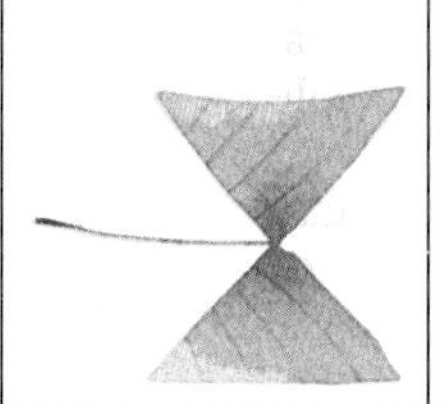

Xanthie

La xanthie est une sorte de noctuelle ou papillon de nuit. Son nom vient d'un mot grec qui signifie « jaune » car ses ailes ont une coloration jaune-roux.

Yeux

C'est le nom des petits bourgeons qui poussent à l'extrémité des branches ou aux aisselles des feuilles. La pomme de terre a aussi des *yeux,* des petites cavités d'où sortent les bourgeons.

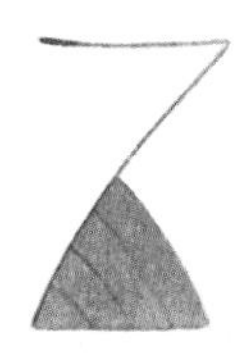

Zéphir

C'est un vent doux, agréable, tiède comme une brise de printemps.

Biographies

Après avoir enseigné l'histoire et la géographie pendant quelques années, **Laurence Ottenheimer** a abandonné l'estrade de professeur pour travailler dans un journal pour enfants. À présent, elle s'occupe de collections de livres d'enfants aux Éditions Buissonnières.
En écrivant le livre de chacune des saisons, elle a parfois trouvé difficile de séparer l'année en quatre épisodes distincts, tant peut être floue la limite entre les saisons : le printemps faisant parfois irruption au cœur de l'hiver, ou l'été, certaines années, cédant à contrecœur la place à l'automne.
Ces quatre petits livres représentent l'année idéale qu'une citadine aimerait bien passer à la campagne.

« Le printemps, c'est la première alouette et cet artifice chanté en perles de pluie, en gouttes de soleil. Sur le bord de la route, un dessinateur tend le fil des horizons ; il plante des pommiers dont les fleurs ne tardent pas d'éclore, puis se fanent au passage des pages. Aquarelles pressées. Affluence de coquilles, graines, pétales, œufs, ailes, élytres. Barrières à repeindre, volets oubliés sur cette façade rose. Arcs-en-ciel de rêve sur le toit de mon auto, puis, au loin, les paroles de cette chanson de Charles Trenet :

Il y a des arbres, des coteaux,des châteaux
Et dans le ciel, des oiseaux rigolos...

Le printemps est là ! » **G.L.**

Table des poèmes

4. Victor Viry, « Bonjour Printemps... » (Extrait de *l'Ours Colargol*, Éditions Tutti, Paris, 1960). **6.** Robert Campion, « Le printemps naît aujourd'hui... » (Virelai, *La Poèmeraie*, Armand Colin, 1963). **7.** Théophile Gautier, « Mars qui rit... » (Premier sourire du printemps, *Emaux et Camées*, 1852). **8.** Adolphe Retté, « En avril,... » (*Lumières tranquilles*, Ed. Messein). **9.** Jean-Louis Vanham, « Il était un petit poisson... » (*Dans la lune*, 1974). **10.** Alain Bosquet, « Avril pour dire... » (*La Nouvelle Guirlande de Julie*, Éditions Ouvrières, 1976). **11.** Robert-Lucien Geeraert, « J'aime avril... » (Le calendrier, *Des mots nature*, Unimuse, Tournai, 1980). **12.** Maurice Carême (J'ai crié avril ! *La Courte Paille*, © Maurice Carême, 1975).Lucien Jacques (Sainte Semaine, *Tombeau d'un berger*, à l'enseigne de la Sirène – Bruxelles). **14.** Lucie Delarue – Mardrus, « Œuf à la coque... » (Œufs, *Poèmes mignons*, Ed. Gédalge). **15.** Maurice Carême, « Oui, à chaque œuf... » (Le monde est neuf, *l'Arlequin*, © Maurice Carême). **16.** Charles Boulen, « Joli mois de mai... » (Mai, *Voyages à travers la couleur locale, La Poèmeraie*, Ed. Bourrelier, 1963). **17.** Maurice Carême, « Cloches naïves... » (Muguet, *La Lanterne magique*, Carême, éd.-Bruxelles). Robert Desnos, « Un bouquet de muguet »... (Le Muguet, *Chantefables et Chantefleurs*, Gründ, 1944). **18.** Robert-Lucien Geeraert, « Mai qui met... » (Calendrier, *Des mots nature*, Unimuse, Tournai, 1980). **20.** « Voici la Pentecôte... » (*La Poésie populaire*, Seghers, 1954). **21.** Glyraine, « Un M... ». **22.** Louis Pize, « A la mi-juin... » (*Les Muses champêtres*, Garnier, éd.). **23.** Robert-Lucien Geeraert « J'aime juin... » (Calendrier, *Des mots nature*, Unimuse, Tournai, 1980). **24.** Alain Bosquet, « Juin pour dire à la mer... » (*La Nouvelle Guirlande de Julie*, Éditions Ouvrières, 1976). **25.** Henriette Ammeux-Roubinet, « Ce matin... » (Rencontre avec le printemps, *Poèmes de x à y*, Éditions Saint-Germain-des-Prés). **27.** Federico Garcia Lorca, « Sur son gilet de broderies... » (*Poésies*, Gallimard). **28.** Francis Jammes, « La pluie qui tinte... » (*Poésies*, Mercure de France). Anna de Noailles, « C'est la pluie... » (Matin de printemps, *Les Forces éternelles*, Ed. Fayard). **29.** Victor Hugo, « L'Arc-en-ciel... » (Pluies d'été, *Odes et Ballades*, 1822). **30.** Maurice Carême, « C'était un tout petit nuage... » (Un tout petit nuage,

La Courte Paille, © Maurice Carême, 1975). **32.** Gisèle Prassinos, « L'Heure ?... » (*Le ciel et la terre se marient*, Ed. Ouvrières, 1979). Pierre Menanteau, « Par ce craintif bourgeon... ». **33.** Arthur Rimbaud, « De chaque branche... » (*Œuvres complètes*, Gallimard, 1946). **34.** Ernst Jünger, « Le Grand Marronnier... » (La cabane et la vigne). René Mautblanc, « Dans la plaine... » (*Poèmes de partout et de toujours*, Armand Colin, 1978). **35.** Antonio Machado, « L'amandier aux rames vertes... » (*Chansons*, Trad. V. Gassol). **36.** Jean Orizet, « Les crocus éclos sur le pré... » (*Poèmes cueillis dans la forêt*, Éditions Saint-Germain-des-Prés). **37.** Théophile Gautier « Un oiseau siffle... » (*Emaux et Camées*, 1852). **38.** Jean Orizet, « Ce matin... » (Les Oiseaux bavards, *Poèmes cueillis dans la prairie*, Ed. Saint-Germain-des-Prés, 1978). **39.** Maurice Carême, « Que crie le moineau ?... » (Cris d'oiseaux, *Volière*, Carême, éd.- Bruxelles). **40.** A.-P. Garnier, « Des oiseaux... » (Le Nid, *Le Jardin d'amour*, Librairie Garnier). **41.** Georges Chennevière, « On dirait... » (Aube d'été, *Œuvres Poétiques*, Gallimard, 1929). **42.** René-Guy Cadou, « Est-ce le printemps... » (Avant-printemps, *Hélène ou le règne végétal*, Seghers, 1952). **44.** Raymond Queneau, « L'œuf est rond... » (La Leçon de chose, *Le Chien à la mandoline*, Gallimard, 1965). **46.** E. Cusin, « Sous un arbre... ». **47.** Sampû, « Tes petits... » (*Haïku*, Fayard, 1978). **48.** « Un petit œil... » (Le printemps, *Poésie n° 73*, Le Cherche-Midi Éditeur). **50.** Paul Claudel, « Il fait bleu... » (La Pléïade-Dodoitz). **54.** Jules Renard « Les grenouilles » (*Histoires naturelles*, 1894). **55.** « Il pleut... » (Comptine, Les Comptines de langue française, Seghers, 1961). Marcel Mompezat, « Accroupie... » (La Grenouille, *Les Tablettes de Noé*, Librairies – Imprimeries Réunies). **56.** « Une Petite Guirlande... ». **57.** Théophile Gautier, « Et le gai bouton d'or... » (*Poésies*). **58.** Claude Roy, « À l'abbaye des abeilles... » (*Enfantasques*, Gallimard). **59.** Victor Hugo « L'Abeille... » (*Les Chansons des rues et des bois*, 1865). **61.** Pierre Gamarra, « Graine de pommes... » (Pépin de pomme, *La Nouvelle Guirlande de Julie*, Éditions Ouvrières, 1976). **62.** À la salade... » (Comptine, Les Comptines de langue française, Seghers, 1961). **65.** Rainer Maria Rilke « Les premières roses s'éveillent... » (*Les Sonnets d'Orphée*, Le Seuil). **68.** Henri de Régnier, « Écoute... » (*Les Médailles d'argile*, Mercure de France). **71.** Rémi Belleau, « L'Aubépine et l'Eglantin... » (Avril, *Anthologie thématique de la Poésie française*, Seghers, 1958). **73.** Jules Renard, « Un bourgeon tardif... » (*Histoires naturelles*, 1894). **74.** Frédéric Kiesel, « Le Papillon... » (*La Nouvelle Guirlande de Julie*, Éd. Ouvrières,

1976). **75.** Guillaume Apollinaire, « Le Travail... » (La Chenille, *Le Bestiaire ou Cortège d'Orphée, Alcools,* Gallimard, 1920). **76.** Gérard de Nerval, « Voici le vulcain... » (Les Papillons, Odelettes, *Petits Châteaux de Bohême,* 1853). **78.** Gérard de Nerval, « Et les sphinx... » (Les Papillons, Odelettes, *Petits Châteaux de Bohême,* 1853). **80.** Pierre Boujut, « Passez la beauté... » (*Nouveaux Proverbes,* Rougerie Ed., 1973). **82.** André Clair « Les Cerises... » (*La Poésie comme elle s'écrit*, Éditions Ouvrières, 1979). **84.** Théophile de Viau, « Je vois... » (Le matin, *Ode*). **86.** Arthur Rimbaud, « Or n'est-ce pas joyeux... » (Œuvres complètes, Gallimard, 1946). **87.** Malcolm de Chazal, « Le bleu... » (*Poèmes*, Ed. Pauvert, 1968).